JONGLER

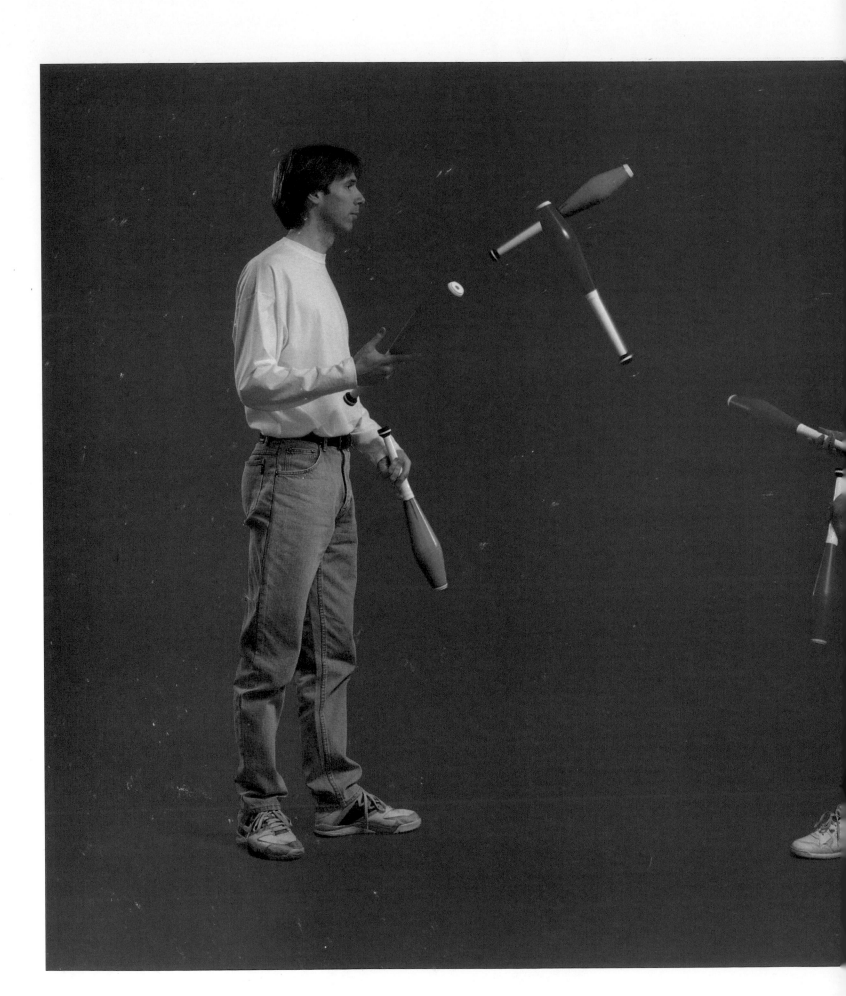

JONGLER

Charlie Holland

Éditions de
L'OLYMPE

Publié par Grange Books
Une édition de Grange Books PLC
The Grange, Grange Yard
London SEI 3 AG

Publié en 1996
ISBN 2 7434 0779 4

Imprimé par Leefung Asco Printers Ltd (China)

Dessins de Ron Brown
Photographies de Michael Plomer

Remerciements :

L'auteur souhaite remercier Katie Norbury pour avoir
jonglé devant l'objectif, le magasin de jonglage Oddball,
à Londres, qui nous a fourni l'équipement nécessaire
pour prendre les photographies, tout le monde au
Circus Space, simplement pour leur présence et tout
spécialement Caroline Palmer pour son aide avec les
figures de Diabolo et tout le reste.
Enfin, j'aimerais remercier Ron Brown et
Michael Plomer.

SOMMAIRE

CHAPITRE 1
TOUT LE MONDE PEUT JONGLER

Pourquoi jongler ?

Le défi de garder un objet de plus en l'air que nous avons de mains a fasciné l'être humain depuis presque la nuit des temps. Après la joie initiale provoquée par l'impression de vaincre la gravité - bien que brève et sans grâce - on découvre à quel point le rythme naturel du jonglage peut être satisfaisant et reposant. Tout cela est suivi par le plaisir d'explorer quelques-unes des multiples variations possibles.

Tout comme on peut jouer de la musique seul, soit en duo, soit dans un orchestre, on peut alors jongler seul, avec un partenaire ou dans un groupe - et jouer une musique que l'on peut admirer.

Enfin, à la différence de la plupart des sports, on peut jongler pratiquement partout et, tout comme la musique, le jonglage est un langage universel, donc, si vous rencontrez un jongleur qui ne parle pas votre langue, vous pouvez au moins communiquer en jonglant ensemble.

Qu'y a-t-il dans ce livre et comment l'utiliser ?

Les chapitres de 1 à 3 évoquent le jonglage avec balles en commençant par la Cascade - première des trois figures fondamentales du jonglage - et en continuant avec les Colonnes et la Douche, ainsi que quelques-unes des centaines de variations possibles.

Le chapitre 4 présente le jonglage avec massues que vous pouvez commencer à apprendre dès que vous savez faire la Cascade avec balles. Nombre de figures avec balles peuvent également être exécutées avec des massues.

Le chapitre 5 parle du jonglage à deux ou à plus de deux. Encore une fois, vous pouvez commencer à jongler à plusieurs, peu de temps après avoir appris la Cascade.

Le chapitre 6 couvre les techniques de jonglage telles que le diabolo et la rotation d'une assiette. Vous pouvez tout apprendre de ce chapitre sans même être capable de jongler !

Le chapitre 7 donne de plus amples conseils sur la façon de se produire en spectacle.

Le dernier chapitre fait un bref historique du jonglage et des jongleurs. Ensuite, on trouvera quelques contacts utiles pour plus d'informations.

Tout au long du livre, le texte et les schémas vont ensemble pour expliquer en détail la progression de chaque figure, tandis que les photographies montrent comment elles sont effectivement exécutées, les légendes apportant souvent de plus amples détails.

Le texte utilise les termes main dominante et main faible. Pour la plupart des gens, la main droite est la main forte ou dominante. En utilisant le terme dominant, on évite la confusion pour les gauchers ou pour les personnes dont la main gauche est la main forte pour jongler. On a remplacé le mot passer par les termes main droite et main gauche parce que toute personne impliquée dans une figure de passage doit lancer avec la même main - la main droite étant celle de référence.

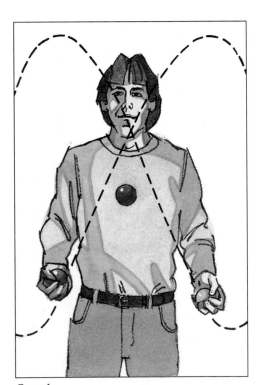

Cascade

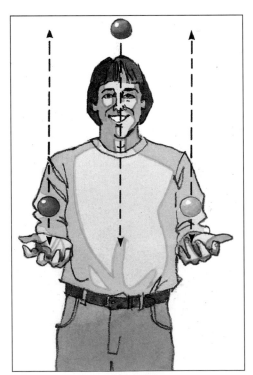

Colonnes

la Douche

C'est la responsabilité du gaucher d'améliorer sa technique de lancer ou alors de trouver d'autres joueurs gauchers avec qui jouer.

Il se peut également que certains passeurs droitiers veuillent développer leurs techniques de passage de la main gauche, surtout dans la mesure où beaucoup de jongleurs essayent maintenant ces figures de passage en commençant par la main droite, puis la main gauche.

En principe, plus vous travaillez dans le but d'améliorer votre main faible, plus vos techniques générales de jonglage se renforcent. En apprenant les figures, consacrez autant de temps à chaque main, ou plus pour votre main faible. Ceci est particulièrement important pour les mouvements tels que le lancer continuel de massues derrière le dos qui exige que vous lanciez de la main droite comme de la main gauche.

Apprendre une figure avec votre main faible vous force à passer plus de temps à décomposer cette figure en ses parties les plus simples. Une figure qui vous vient facilement avec votre main dominante demande probablement beaucoup plus de temps avec votre main faible. Essayez de décomposer une figure en plusieurs parties et voyez si vous pouvez vous améliorer dans les différentes étapes. Enseigner une figure à quelqu'un d'autre est aussi une bonne façon d'en apprendre un peu plus soi-même.

Il vaut mieux passer plusieurs minutes par jour sur une figure que plus d'une heure un jour par semaine.

Si un tour vous ennuie ou vous frustre, essayez-en un autre pour ensuite revenir au premier. Fixez-vous des objectifs et faites tout pour les atteindre. Comptez le nombre de lancers que vous faites et essayez d'augmenter le nombre de ces lancers sans qu'ils ne tombent. Faites la même chose aussi bien avec la main dominante que la main faible.

Travaillez avec des amis et essayez de les aider en échange de leur aide. Une compétition amicale peut motiver les deux jongleurs et leur permettre de s'améliorer.

Rappelez-vous que certaines personnes ont un sens de la coordination yeux-mains plus développé que d'autres. Tout le monde ne progressera pas à la même vitesse. Il est important de persévérer et de travailler de façon à atteindre l'objectif suivant et approprié à votre niveau et non pas à celui de quelqu'un d'autre.

Avec quoi jongler ?
Vous pouvez apprendre à jongler avec tout ce qui est rond et mou, que ce soit des balles de tennis ou des chaussettes pliées. Vous pouvez également acheter des balles lestées car elles sont reposantes, moelleuses et retombent fermement dans la main, ce qui permet de les rattraper plus facilement ; de plus, elles ont l'avantage de rester à l'endroit où elles tombent au lieu de rouler sous les meubles. Des conseils sur les massues, les diabolos, etc., vous sont donnés dans les chapitres appropriés.

La Cascade

La Cascade est la figure de jonglage la plus facile à apprendre et celle à laquelle les jongleurs reviennent normalement entre deux figures. Elle est également à la base de la technique qui sert à passer les balles et les massues.

La Cascade - commencez avec une balle
Prenez une balle et lancez-la d'une main à l'autre. Pour réaliser la Cascade, vous devez lancer la balle vers l'intérieur, avec un mouvement circulaire vers le haut et en diagonale, juste au-dessus de votre tête et plus près de la main qui va la rattraper. En lançant la balle de la main droite à la main gauche, et inversement, vous voyez que la balle suit une trajectoire en forme de huit.

Travaillez selon ce modèle jusqu'à ce que les lancers soient aussi rythmiques et

Lancez la balle juste au-dessus de votre tête de façon à ce qu'elle pointe à l'opposé de votre corps par rapport à la main avec laquelle vous l'avez lancée.

Lancez la balle d'une main à l'autre de façon à ce qu'elle dépasse juste la hauteur de la tête.

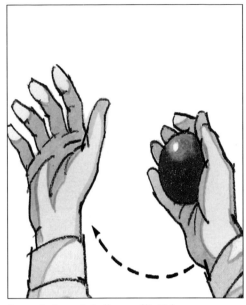

La main lance la balle vers l'intérieur.

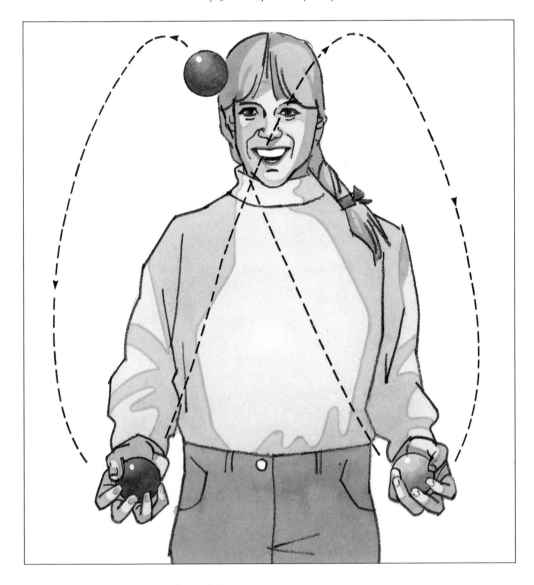

La balle suit une trajectoire en forme de huit.

réguliers que possible. La règle la plus importante du jonglage est de rendre le lancer aussi précis que possible. Si le lancer est exact, le rattrapage se fera de lui-même. L'endroit où poser vos yeux est celui où la balle atteint le plus haut point. Lorsque la balle commence à redescendre, le cerveau fait le calcul de l'endroit et du moment où elle va atterrir et positionne votre main de façon à la rattraper. Vous devez rattraper la balle à hauteur de la poitrine et non pas aller la chercher en l'air.

Regardez l'illustration de gauche où la balle suit une trajectoire en forme de huit.

Lorsque vous lancez la balle continuellement d'une main à l'autre, faites attention à ce qu'elle monte en diagonale en partant vers l'intérieur (si la balle part vers l'extérieur, elle va suivre une trajectoire inversée).

Est-ce que la balle atteint la même hauteur si elle est lancée de la main gauche ou de la main droite ? Est-ce que le lancer de la main droite arrive un peu à gauche de votre tête et vice versa ?

En jonglant, il est très important que les lancers soient logiques. Il est utile d'imaginer deux points, un de chaque côté de votre tête, un peu au-dessus de celle-ci. Vous pouvez les visualiser en imaginant un cintre suspendu en l'air devant vous et vous concentrer sur ses extrémités. Essayez de lancer les balles de façon à ce qu'elles touchent ces points imaginaires.

Tenez une balle dans chaque main. Jetez la première balle vers le haut et en diagonale, en partant de votre main dominante pour aller vers votre main faible.

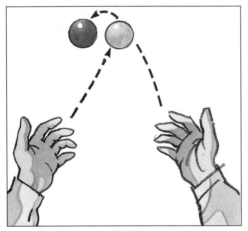

Lorsque la première balle atteint le point le plus haut, lancez la deuxième de la main faible - en l'air et en diagonale - vers la main dominante. Elle passe sous la première balle.

Attrapez la première balle dans votre main faible et la deuxième dans votre main dominante. Arrêtez. Puis lancez la première de votre main faible et la deuxième de votre main dominante.

Echanger deux balles

Lancez la balle d'une main à l'autre comme sur les schémas. Vérifiez que les deux balles atteignent la même hauteur - un peu au-dessus de votre tête - et que la balle lancée par votre main dominante rencontre un point imaginaire juste au-dessus de votre main faible, et inversement.

Initialement, c'est une bonne idée de travailler seulement le lancer. Concentrez-vous pour que chaque balle atteigne les points imaginaires puis laissez-les tomber au sol.

Lorsque vous sentez que vous y arrivez, essayez de les attraper.

De façon à ne pas lancer les deux balles en même temps, prononcez les mots «lancer, lancer», lorsque vous lancez les balles, et «rattraper, rattraper», lorsque vous les rattrapez.

Assurez-vous que la deuxième balle passe sous la première.

Vous allez peut-être vous rendre compte que votre main dominante lance la balle vers le haut et en diagonale tandis que

votre main faible passe la balle en diagonale à votre main dominante. C'est probablement la façon dont vous avez appris à jongler à deux balles, à l'école. De façon à perdre cette habitude, lancez la balle de votre main faible d'abord, puis de votre main dominante. Ayez toujours pour objectif les points imaginaires mentionnés ci-dessus.

Essayez de garder les balles au même niveau. Si vous lancez la deuxième balle en avant, c'est probablement que votre cerveau s'attend à ce que les deux balles se heurtent, donc il compense en vous faisant lancer une des balles en avant. Regardez très attentivement le schéma de la page 9 : les balles ne se heurtent pas car elles se trouvent à des endroits différents sur le huit.

Fixez vos yeux sur la balle lorsqu'elle atteint le point le plus haut. Lorsque l'une des balles atteint ce point, lancez l'autre de l'autre main.

Trois balles : la Cascade complète

Commencez avec deux balles dans la main dominante et une dans la main faible comme le montre la photographie ci-dessous. Lancez la balle qui se trouve entre les doigts de la main dominante (la rouge sur la photographie ci-dessous) et comptez «un». Il faut toujours commencer par la main qui tient les deux balles. Lorsqu'elle atteint le point le plus haut, lancez la balle qui se trouve dans la main faible - la jaune - et comptez «deux». Rattrapez la balle rouge. La main se déplace vers l'extérieur lorsqu'elle rattrape une balle et vers l'intérieur lorsqu'elle la lance. Lorsque la balle jaune atteint le point le plus haut, lancez la dernière balle - la bleue - qui se trouve dans la main dominante et comptez «trois» puis rattrapez la balle jaune. Lorsque la balle atteint le point le plus haut, lancez la balle de la main faible et comptez «quatre». Continuez. Vous jonglez.

En réalité, il est rare d'y arriver aussi rapidement et si facilement. Nombre de personne trouvent que la troisième balle reste coincée dans la main dominante et que la deuxième atterrit juste sur la troisième. Quoi qu'il en soit, faites toujours attention à lancer la troisième balle. Essayez de les lancer toutes les trois sans les rattra-

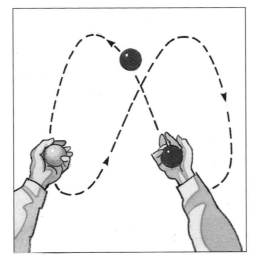

Lancez la balle rouge pour débuter la Cascade avec trois balles.

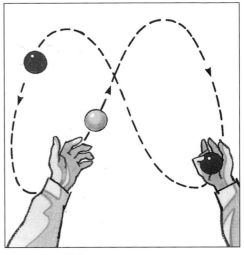

Lancez la balle jaune lorsque la rouge a atteint le point le plus haut.

per de façon à voir le rythme des lancers.

Assurez-vous que les balles atteignent la même hauteur et que vous regardez le point le plus haut atteint par chacune des balles. Chacune des trois balles suit la même trajectoire en forme de huit. Elles se trouvent simplement à des endroits différents sur cette trajectoire.

S'il se trouve que vous lanciez les balles en avant, essayez de vous placer près d'un mur, face à lui. Essayez de faire en sorte

que les balles atteignent le point le plus haut à une distance du mur qui soit toujours la même, sinon, elle risque de rebondir contre le mur et d'être alors plus facile à rattraper pour vous !

Si vous prenez mal au dos à force de vous baisser pour rattraper les balles au sol, essayez de jongler au-dessus d'un lit.

Demandez à un ami (quelqu'un qui sache jongler est l'idéal) de réaliser la figure de la page suivante avec vous.

Tenez deux balles dans la main dominante et une dans la main faible. La deuxième balle est maintenue par les doigts de la main. Celle-ci partira la première.

La balle jaune est prête à être lancée. Regardez comme elle est basse et dirigée vers l'intérieur avant d'être lancée.

Jouer à deux avec trois balles

Debout, côte à côte, l'un d'entre vous utilise sa main droite et l'autre sa main gauche. Mettez tous les deux le bras se trouvant au milieu derrière le dos et utilisez votre main extérieure pour jongler. Cela veut dire que chaque personne a seulement à se concentrer sur la moitié du jonglage, ce qui devrait être plus facile.

Jonglez exactement comme si vous étiez seul. Si vous rencontrez des problèmes, allez-y progressivement en commençant par une, puis deux et trois balles. Tout d'abord, lancez-vous la balle continuellement d'une main à l'autre. Lorsque vous avez atteint un rythme régulier, faites la même chose avec deux balles. Concentrez-vous de façon à ce que vos lancers soient toujours précis. Cela laisse le temps à votre partenaire de se concentrer sur ses lancers pour vous rendre la saisie plus facile.

Si l'un des jongleurs est plus grand que l'autre, le plus petit doit alors lancer la balle plus haut que d'habitude et inversement.

Après un moment, changez de place pour que chacun des jongleurs s'entraîne à lancer des deux mains.

Cascade Inversée
Pour réaliser la Cascade Classique, vous devez lancer la balle vers l'intérieur, avec un mouvement circulaire vers le haut, à travers le milieu du huit.

Réaliser la Cascade à deux permet au jongleur le plus faible de se concentrer seulement sur la moitié de la figure.

Mettez-vous debout, côte à côte, avec une main derrière le dos.

Le jongleur qui tient les deux balles lance le premier la balle rouge vers le haut et en diagonale.

Lorsque la balle atteint le point le plus haut, le deuxième jongleur lance sa balle et rattrape la rouge.

Pour la Cascade Inversée, lancez la balle vers l'extérieur, en remontant, de façon à ce qu'elle tombe au milieu du huit.

Essayez d'abord avec une seule balle. Ensuite, prenez une balle dans chaque main et lancez la première comme ci-dessous. Lorsqu'elle atteint le point le plus haut, lancez la seconde vers le haut et par-dessus la première. Les balles devraient se trouver chacune dans une main différente.

Essayez encore en inversant, cette fois-ci, la balle de main.

Essayez, à présent, avec trois balles en commençant, comme toujours, par la main qui tient les deux balles.

La Demi-Douche

Si vous réalisez la Cascade avec une main, en faisant un mouvement circulaire vers l'intérieur, et que, de l'autre, vous faites une Cascade Inversée avec un mouvement circulaire vers l'extérieur, vous créez un mouvement qui s'appelle la Demi-Douche où les balles lancées d'une main forment toujours un arc de cercle par-dessus les autres. Comme avant, lancez chaque balle lorsque la précédente a atteint son plus haut point. Apprenez cela avec les deux mains avant de poursuivre.

Le Soleil Levant et Couchant

Jonglez en Cascade puis lancez une balle en l'air comme dans la Cascade Inversée.

Lorsqu'elle atterrit dans l'autre main, élargissez un peu l'envergure et relancez la balle par-dessus en utilisant la technique de la Cascade Inversée, et, avec un peu d'imagination, cette figure représente le Soleil Levant et Couchant.

Ce numéro est plus impressionnant si la balle que vous lancez par-dessus est d'une couleur différente des deux autres.

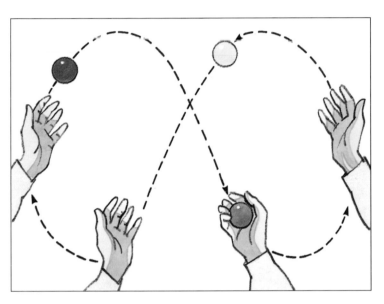

La Cascade Inversée

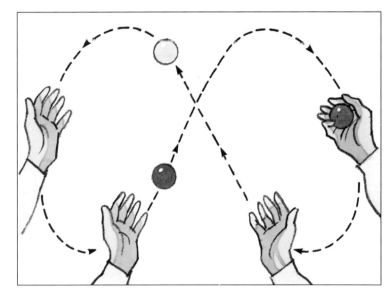

La Cascade Classique

La Demi-Douche

Le Soleil Levant et Couchant

13

CHAPITRE 2
AU-DELA DE LA CASCADE

Dans ce chapitre, nous développons les variations de la Cascade, en particulier, les mouvements qui impliquent d'autres parties du corps que les bras et nous vous faisons découvrir les deux autres figures primaires du jonglage : les Colonnes et la Douche.

Sous la jambe

Il y a quatre options différentes pour le lancer des balles sous la jambe, suivant la jambe sous laquelle vous lancez la balle et selon que vous la lancez de l'intérieur ou de l'extérieur de la jambe.

Prenez seulement une balle et soulevez la jambe droite ; lancez la balle de la main droite, sous la jambe droite, et rattrapez-la avec la main gauche. Ensuite, lancez la balle de la main gauche, sous la jambe gauche, et rattrapez-la avec la main droite. A présent, soulevez la jambe gauche et lancez la balle de la main droite sous cette dernière et rattrapez-la avec la main

gauche. Enfin, lancez la balle de la main gauche sous la jambe droite et rattrapez-la dans la main droite.

Prenez une balle dans chaque main, levez une jambe et lancez une balle dessous, lancez la deuxième vers le haut en diagonale, comme d'habitude, de façon à finir avec chaque balle dans la main opposée.

Prenez la troisième balle et, en commençant par les deux balles se trouvant dans votre main dominante, levez une jambe et commencer à jongler en lançant la première balle sous la jambe. Baissez la jambe et continuez à jongler normalement.

A présent, vous êtes prêt à essayer de lancer une balle sous la jambe tout en jonglant.

La plupart des figures utilisant des parties du corps requièrent plus de temps, donc il est utile de lancer la balle plus haut, avant d'effectuer le mouvement principal. Ainsi, quand vous allez lancer la balle de la main droite, sous la jambe, lancez la balle

précédente un peu plus haut de la main gauche, et inversement. Voyez si vous pouvez faire passer la même balle sous la jambe droite, de l'extérieur, puis sous la jambe gauche, de l'extérieur, puis sous la jambe droite, de l'intérieur, et enfin, sous la jambe gauche, de l'intérieur.

DROITE
Ayant lancé la balle jaune en l'air, la balle rose est prête à être lancée de façon à laisser la place à la balle jaune pour retomber. La main droite rattrapera la balle bleue.

EXTRÊME GAUCHE
Commencez à jongler en lançant la première balle sous la jambe.

GAUCHE
Lancez la balle un peu plus haut, avant de lancer l'autre sous la jambe.

Derrière le dos

Tenez une balle dans chaque main. Lancez-en une en l'air, derrière le dos, de façon à ce qu'elle ressorte par-dessus l'épaule opposée. Au moment où elle apparaît, lancez la deuxième balle en diagonale, vers le haut, comme d'habitude, et rattraper la première balle.

Pour apprendre avec trois balles, commencez avec deux dans la main faible. Lancez la première - la jaune - plus haut que d'habitude. Lorsqu'elle est en l'air, lancez

Ayant lancé la balle rose derrière le dos, la main droite revient devant pour attraper la balle jaune. La main gauche va lancer la balle bleue de façon à laisser la place à la balle rose pour retomber.

La balle jaune est lancée en hauteur, de devant, puis la balle rouge de derrière.

On rattrape la balle jaune juste avant que la bleue soit lancée.

celle qui se trouve dans la main dominante - la rouge - vers le haut, derrière le dos.

Ramenez la main dominante devant pour rattraper la balle jaune, puis lancez la troisième - la bleue - et essayez de conserver ce mouvement de Cascade en répétant l'enchaînement et en lançant la balle rouge plus haut.

Assurez-vous d'être capable de lancer la balle derrière le dos avec votre main faible également.

Lorsque vous savez faire des deux mains, voyez si vous pouvez exécuter chaque lancer derrière le dos. Cela s'appelle les Croix dans le Dos (Back Crosses).

Jongler avec un bras derrière le dos

Avec une balle dans votre main faible et deux dans votre main dominante derrière le dos, voyez si vous arrivez à jongler en gardant la main dominante derrière le dos.

Si vous le pouvez, voyez si vous êtes capable de revenir à un jonglage normal en faisant passer la balle devant de façon à continuer à jongler. Pouvez-vous faire la même chose de l'autre côté du corps ?

Jongler avec un bras derrière le dos. Chacune des balles suit le même ordre.

16

Rattraper avec le cou

Travaillez avec une seule balle pour commencer. Lancez-la vers le haut puis baisser subitement la tête et essayez d'attraper la balle avec la nuque. Regardez devant vous en relevant la tête et tendez les bras de façon à faire un creux pour la balle. Donnez un petit coup de tête saccadé vers le haut à l'aide des épaules pour renvoyer la balle en l'air avant de vous relever.

Jonglez en Cascade avec trois balles puis, au lieu de lancer l'une des balles dans l'autre main, lancez-la vers le haut pour pouvoir la rattraper dans le cou, alors que vous tenez une balle dans chacune des deux mains. Voyez si vous pouvez rattraper la balle dans le cou et la renvoyer, qu'elle vienne de droite ou de gauche.

Pour changer, vous pouvez mettre une main entre vos jambes, laisser glisser la balle le long du dos et essayer de la rattraper.

Rattraper la balle dans le cou est une manière impressionnante de finir votre numéro.

Etendez les bras et inclinez la tête en arrière pour permettre à la balle de se nicher entre les omoplates.

Lancez la balle vers le haut.

Baissez-vous en avant pour rattraper la balle dans le cou.

Donnez un coup de tête saccadé pour renvoyer la balle en l'air.

Commencer à une main

Si rattraper la balle dans le cou est une bonne façon de terminer une figure, commencer à une main est un bon début.

Tenez les trois balles dans votre main dominante. Placez-en deux dans la paume de la main, entre le petit doigt et le pouce. La troisième balle se niche au milieu des trois autres doigts. lancez les trois en l'air et la balle qui se trouvait au bout des doigts doit se séparer des deux autres pour aller plus haut.

Attrapez la balle la plus près avec la main dominante et la plus basse avec la main faible. Lancez la balle que vous venez d'attraper avec la main dominante pour commencer la Cascade et rattraper la dernière balle.

Lorsqu'on lâche les balles, celle qui se trouvait au bout des doigts - la bleue - monte plus haut.

Position exacte pour débuter à une main.

Lorsque vous maîtrisez le commencement à une main, essayez sous une jambe ou derrière le dos.

Attrapez la balle la plus près, puis la plus basse avec l'autre main.

Colonnes

Dans la figure des Colonnes, les balles montent et descendent verticalement, parallèles les unes aux autres, au lieu de se croiser comme dans la Cascade. Pour y arriver, il faut être capable de jongler avec deux balles dans une main. Il y a trois façons de le faire : en Colonne, en partant vers l'intérieur et en partant vers l'extérieur.

Essayez les trois, en lançant la deuxième balle lorsque la première s'apprête à retomber.

Il est particulièrement important de pratiquer avec la main faible, car pour un certain nombre de variations, on passe souvent de deux balles dans une main à deux balles dans l'autre. Pour que ces figures rendent bien, il faut être expert des deux mains.

Colonne

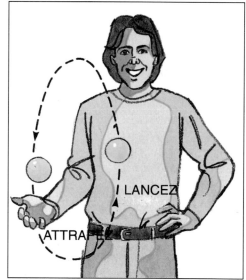

Mouvement circulaire vers l'extérieur : lancez, attrapez.

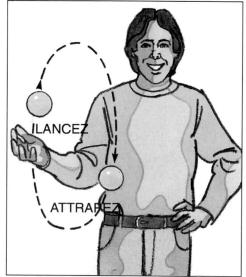

Mouvement circulaire vers l'intérieur : lancez, attrapez.

La main droite lance deux balles en Colonne tandis que la main gauche lance une balle de bas en haut.

Dans la figure des Colonnes, une balle (la bleue sur le schéma) monte verticalement et les deux autres (jaunes) montent en parallèle.

Commencez par tenir deux balles dans la main dominante et une dans la main faible. Lancez la première - la bleue - de la main dominante, en montant verticalement et au milieu. Lorsqu'elle atteint le point le plus haut, lancez les deux autres - les balles jaunes - en montant à la verticale et de chaque côté de la première balle.

Rattrapez la balle bleue et relancez-la immédiatement au milieu, en montant à la verticale, puis rattrapez les deux autres que vous relancerez de chaque côté de la première.

Entraînez-vous à rattraper la balle bleue une fois de la main droite et une fois de la main gauche.

Pour que la figure soit réussie, vous pouvez, à présent, bouger la balle qui est seule autour des deux autres qui, elles, continuent à monter et à descendre au même endroit exactement et doivent monter exactement à la même hauteur.

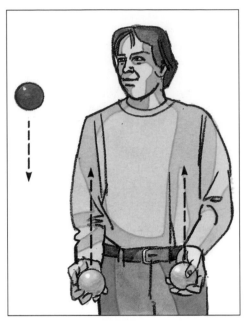

Lancez la balle bleue du côté droit, avec votre main droite, et lancez les deux jaunes en l'air normalement.

Bougez la main vers la droite, de façon à rattraper la bleue. L'autre main a déjà lancé les deux balles jaunes avant que balle bleue retombe.

Lorsque les balles jaunes commencent à redescendre, on lance la balle bleue en l'air, verticalement.

Bougez la main droite vers l'intérieur pour lancer la balle bleue au milieu et rattrapez les balles jaunes.

Lorsqu'elle redescend, attrapez la balle bleue dans la main gauche et bougez votre main vers la gauche.

Lancez la balle bleue en l'air, du côté de la main gauche et rattrapez les balles jaunes.

Manquer le mouvement du milieu

Lancez la balle bleue en l'air du côté droit puis lancez les deux balles jaunes vers le haut. Lorsque la balle bleue redescend, rattrapez-la avec la main droite et passez-la immédiatement à la main gauche puis lancez-la à gauche avant de rattraper les deux balles jaunes.

Jeter deux balles par-dessus la troisième

Au lieu de jeter la balle bleue au milieu et de lancer les deux balles jaunes en parallèle, vous pouvez lancer les deux balles jaunes sur le côté de façon à ce qu'elles fassent un arc de cercle, soit en se croisant, soit en se touchant pour rebondir et revenir à leur place.

Manquez le mouvement du milieu.

Jetez deux balles par-dessus la troisième.

La Tricherie

C'est exactement la même chose qu'avec les Colonnes, sauf qu'au lieu de lancer les deux balles jaunes en l'air, vous portez l'une d'entre elles de haut en bas. Jonglez en colonne avec deux balles dans votre main dominante. Tenez la troisième balle au bout des doigts de la main faible pour que le spectateur puisse voir la majeure partie de la balle. Lorsque vous lancez la balle à l'extérieur des Colonnes en l'air, faites les mêmes mouvements de balle avec la main faible. Cela prend un bon moment avant que le public ne se rende compte que vous êtes en train de tricher.

Travaillez de façon à ce que la balle avec laquelle vous trichez s'arrête à la même hauteur que la balle lancée. Essayez de faire de très petites Colonnes et des Colonnes tellement hautes que vous devez vous tenir sur la pointe des pieds pour atteindre la balle avec laquelle vous trichez.

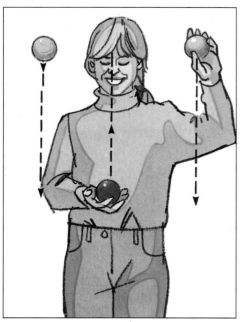

La Tricherie.

Le Yo-Yo

C'est une variation de la figure précédente où la balle avec laquelle on triche se déplace de haut en bas, au-dessus de la balle du milieu des Colonnes, comme si les deux balles étaient attachées par un fil invisible. Si vous bougez la balle de haut en bas sous la balle du milieu, cette figure s'appelle le Oy-Oy ou Yo-Yo australien.

La main gauche tient la balle jaune et copie le mouvement que fait l'autre balle jaune.

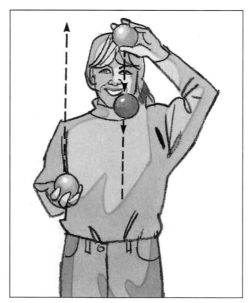

Le Yo-Yo.

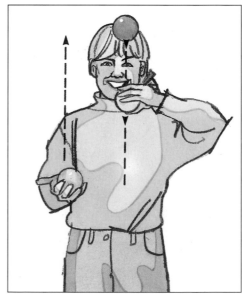

Le Oy-Oy.

Le Yo-Yo sans ficelle

Lorsque l'on jongle à une main, avec deux balles, il y a un moment où l'une des balles est en l'air et l'autre dans la main. A ce moment-là, vous pouvez faire traverser la balle «tricheuse» horizontalement, au milieu, sans interrompre la figure. Puis essayez de la ramener à sa place.

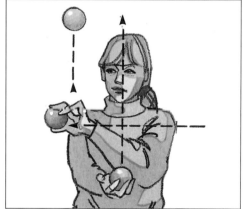

Faire traverser la balle «tricheuse» au milieu, horizontalement.

Pour changer, faites tourner la balle avec laquelle vous trichez autour de la balle la plus près, lorsque cette dernière a atteint le point le plus haut.

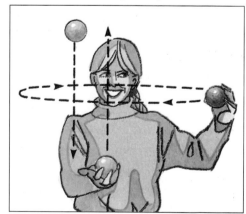

Lorsque vous avez pris de la vitesse et de la précision, faites tourner la balle d'un côté à l'autre et revenez.

La main droite lance une balle jaune et une balle bleue en l'air, en Colonnes. L'autre balle jaune bouge de haut en bas, au-dessus de la balle bleue, comme si elles étaient toutes deux attachées par une ficelle.

La Douche

Dans cette figure, les trois balles se suivent en cercle. Tenez deux balles dans la main dominante et une dans la main faible. Ensuite, lancez une balle de la main dominante d'abord, puis la deuxième immédiatement après. Les balles suivent un arc de cercle dépassant de peu la hauteur de la tête, dans le but de retomber dans la main faible.

Lorsque les deux balles sont en l'air, la balle qui se trouve dans la main faible est moitié-passée, moitié-lancée dans la main dominante. Dès qu'elle est dans la main dominante, vous devez la relancer dans l'arc de cercle.

Lorsque les deux balles sont en l'air, la main gauche fait glisser celle qu'elle tient vers la droite.

Pour commencer, tenez deux balles dans la main dominante.

Lancez rapidement les deux balles, l'une après l'autre.

Faites passer la troisième balle.

Lancez la troisième balle immédiatement après l'avoir reçue.

24

La Girafe

Tendez le bras faible vers le haut, à la verticale, et en prenant une seule balle,
lancez-la en l'air de la main dominante, de
façon à ce qu'elle atteigne précisément la
main faible. Puis, lâchez la balle du haut et
rattrapez-la avec la main dominante.
Entraînez-vous jusqu'à ce que vous n'ayez
plus à bouger la main faible pour attraper
et lancer la balle.

    Ensuite, tenez une balle dans chaque
main et lorsque la balle lancée par la main
dominante est prête à arriver dans la main
faible, lâcher celle qui se trouve dans cette
dernière.

    Enfin, tenez deux balles dans la main
faible et une dans la main dominante.
Lâchez une des balles de la main faible -
celle d'en haut - et, avant qu'elle n'atterrisse, lancez la balle se trouvant dans la main
dominante en l'air. Avant que cette dernière n'atterrisse, lâchez la troisième balle et
répétez la figure.

    Lâchez la balle du haut vers le bas ; lan-
cez la balle du bas vers le haut.

La Girafe

*La main droite s'apprête à rattraper la balle la plus basse. La balle du milieu se dirige
vers le haut, vers la main gauche. La balle du haut sera lâchée juste avant que la balle
du milieu soit rattrapée.*

CHAPITRE 3

JONGLER AVEC DES BALLES - NIVEAU AVANCÉ

Dans ce chapitre, on aborde certaines figures de balles plus difficiles ainsi que le jonglage avec quatre ou cinq balles. N'ayez pas peur de sauter ce chapitre pour l'instant, si vous préférez apprendre à jongler avec des massues ou vous «attaquer» au diabolo d'abord.

La main droite s'apprête à saisir la balle tandis que la main gauche s'apprête à en lancer une en l'air.

Pincer la balle

Pincer et relâcher une balle, attraper et jeter la balle d'en haut.

Prenez une balle et, au lieu de l'avoir sur la main, tournez la main à l'envers de façon à saisir la balle d'en haut. Tout en gardant la main en l'air, lancez la balle en donnant un petit coup de poignet vers le haut. Puis, levez l'autre main pour rattraper la balle, à la manière d'un chat, de façon à l'attraper par le haut. Entraînez-vous et voyez à quel point l'action peut battre son plein.

Jonglez avec trois balles et apprenez à pincer la balle avec une main seulement puis avec l'autre. Enfin, essayez de pincer la balle avec les deux mains comme sur la photographie ci-contre. Il se peut que vous trouviez qu'au début il est plus facile de laisser la troisième balle, pour ne pincer que les deux autres. Voyez à quel point la figure peut être petite et frénétique puis grande et languissante.

Faire rebondir cinq balles.

Le Pingouin

Le Pingouin est une figure difficile, basée sur le rattrapage de balle avec les mains tournées vers l'arrière. Nous en viendrons à expliquer pourquoi cette figure s'appelle le Pingouin, dans un moment.

Entraînez-vous d'abord avec une seule balle. Positionnez votre main gauche normalement, comme si vous alliez rattraper une balle, puis faites tourner votre bras vers l'arrière et remontez le poignet vers le haut. Redressez le bras et gardez-le bien près du corps. Lancez une balle de la main droite, en diagonale, de façon à ce qu'elle retombe dans la main gauche, tournée vers l'arrière.

Puis, détordez votre main gauche de façon à lancer normalement tandis que vous tournez la main droite vers l'arrière pour lancer la balle.

A présent, essayez d'utiliser deux balles, une balle dans chaque main, en tournant les deux mains vers l'extérieur.

Détordez une main et lancez la balle, puis tournez-la à nouveau vers l'arrière, immédiatement après. Lorsque la balle atteint le point le plus haut, détordez l'autre main, lancez la deuxième balle et tournez la main à nouveau vers l'arrière pour rattraper la première balle. Enfin, rattrapez la deuxième balle dans la première main tournée vers l'arrière.

Lancez la balle de la main droite vers la main gauche, tournée vers l'extérieur.

Pour que le résultat soit meilleur, gardez le bras droit le long du corps lorsque vous rattrapez une balle.

Détordez une main pour jeter la balle, faites la même chose avec l'autre main lorsque la balle est en haut et replacez la main vers l'arrière après le lancer, prête à rattraper la balle suivante.

Détordez la main gauche de façon à pouvoir lancer normalement.

Tournez la main droite vers l'arrière pour rattraper la balle.

Deux balles : en tenant une balle dans chaque main, tournez vos deux mains vers l'arrière.

Moitié de Pingouin

Lorsque la figure à deux balles vous paraît relativement régulière, ajoutez la troisième : deux dans la main dominante, normalement, et une dans la main faible, tournée vers l'arrière. Lancez et rattrapez les balles dans la main dominante, normalement, mais essayez de rattraper chaque balle de la main gauche, cette dernière étant tournée vers l'arrière, puis détordue pour lancer.

Essayez de faire la même chose avec la main dominante tournée vers l'arrière et la main faible en position normale.

Le Pingouin Complet

Pour réaliser le Pingouin Complet avec trois balles, il faut se positionner de façon à rattraper avec les deux mains tournées vers l'arrière, comme vous l'aviez fait en jonglant avec deux balles. L'étape finale du Pingouin consiste à jongler les jambes serrées et les pieds en canard. Lorsque vous jonglez en rattrapant les balles avec vos mains tournées vers l'extérieur et vos bras rigides le long du corps, vous commencez à ressembler à un pingouin. Pour compléter cette image, essayez de vous dandiner vers l'avant en même temps.

Pour le Pingouin Complet, on jongle avec trois balles en rattrapant toujours avec la main tournée vers l'arrière.

Les deux mains se détordent pour lancer et se tournent vers l'arrière, à nouveau, pour rattraper la balle suivante.

Le Désordre de Mill

C'est une figure très difficile qui rend les jongleurs particulièrement heureux lors-qu'ils y arrivent enfin. Ils la montreront assez naturellement à un spectateur pour qui cette figure est un désordre total !

Cette figure est difficile à apprendre simplement d'après un livre, donc essayez de trouver un jongleur qui sache la réaliser pour vous aider.

Suivez les mouvements qui se trouvent sur les schémas, avec une balle dans votre main dominante.

A présent, inversez le mouvement en lançant la balle de la main faible du côté du bras faible puis décroisez et recroisez les avant-bras de façon à ce que la main domi-nante soit au-dessus et rattrape la balle.

Vous êtes, à présent, dans la position inverse de celle du début, avec la main faible au-dessus au lieu de la main domi-nante.

Avec une balle

Tenez une balle dans la main dominante et croisez les avant-bras pour que la main dominante soit au-dessus. Lancez la balle à nouveau du côté du bras dominant.

Lorsque la balle fait un arc de cercle en l'air, décroisez et recroisez les avant-bras de façon à ce que la main dominante soit au-dessus, prête à rattraper la balle.

« Le Désordre de Mill » en action.

Avec trois balles

Pour commencer avec trois balles, placez une seconde (la balle bleue) dans la main dominante qui est croisée au-dessus de la main faible. Lancez les deux balles de devant comme en haut de la page suivante.

Attrapez la balle rouge dans la main faible et, lorsque la main dominante croise en-dessous, lancez la balle bleue vers le haut, à la verticale, avant de rattraper la balle jaune.
Au début, laissez simplement tomber la balle bleue par terre.

L'étape suivante consiste à relancer la balle rouge de la main faible vers le bras faible et lorsque vous décroisez les avant-bras, rattrapez la balle bleue dans la main faible.

Avec deux balles

Avec deux balles, commencez comme avec une. Tenez une balle (la rouge) dans la main dominante qui est croisée au-dessus de la main faible qui, elle, tient une autre balle de couleur (la jaune).

A droite.
Croisez les avant-bras de façon à ce que votre main faible soit au-dessus et rattrapez la balle rouge dans la main faible tandis que la main dominante rattrape la balle jaune lorsque vous la croisez.

Lancez la balle rouge de la main dominante, en arc de cercle, vers le côté dominant, à nouveau, et décroisez les avant-bras.

Lancez la balle jaune en l'air, de la main faible, comme si elle allait suivre la balle rouge mais sans aller si loin.

Inversez le mouvement de façon à finir avec la balle rouge dans la main dominante.

Continuez à inverser le mouvement jusqu'à ce qu'il soit régulier. Il se peut que vous remarquiez la présence d'un espace destiné à la troisième balle lorsqu'on croise une main sous l'autre.

Portez la balle bleue sous la main dominante et lancez-la en l'air, à la verticale.

La main dominante la rattrape et l'emmène pour la relancer en l'air du côté de la main faible.

Tout ce que la balle bleue fait c'est d'être lancée en l'air, d'un côté, et rattrapée, d'être emmenée en traversant de l'autre côté, d'être lancée en l'air et rattrapée, d'être emmenée à nouveau et la figure se répète tandis que les deux autres balles forment une Cascade serrée.

Quatre balles

Si vous maîtrisez le jonglage avec deux balles dans la main faible, alors, vous pouvez jongler avec quatre balles ! La façon la plus simple de jongler avec quatre balles est de jongler avec deux balles dans chaque main.

Les balles ne changent pas de main.

Entre parenthèses, la même règle s'applique à n'importe quel nombre d'accessoires ; ainsi, pour jongler avec six balles, prenez-en trois dans chaque main.

La plupart des jongleurs trouvent que le mouvement circulaire vers l'intérieur est le plus facile.

Mouvements circulaires vers l'intérieur et vers l'extérieur

Lancez une balle en même temps de chacune des deux mains, avec un mouvement circulaire vers l'extérieur de façon à ce que les balles tournent et retombent vers l'extérieur. Faites attention à ce que les balles montent à la même hauteur. Lorsqu'elles ont atteint la hauteur maximum, lancez les deux suivantes en l'air. Essayez également le mouvement circulaire vers l'extérieur.

De façon à ce que la figure de jonglage avec quatre balles paraisse plus compliquée, lancez les balles alternativement de chaque main, plutôt qu'en même temps. Ainsi, vous lancez la balle de droite, de gauche, de droite et de gauche à la suite. Vous jonglez toujours avec deux balles dans chaque main

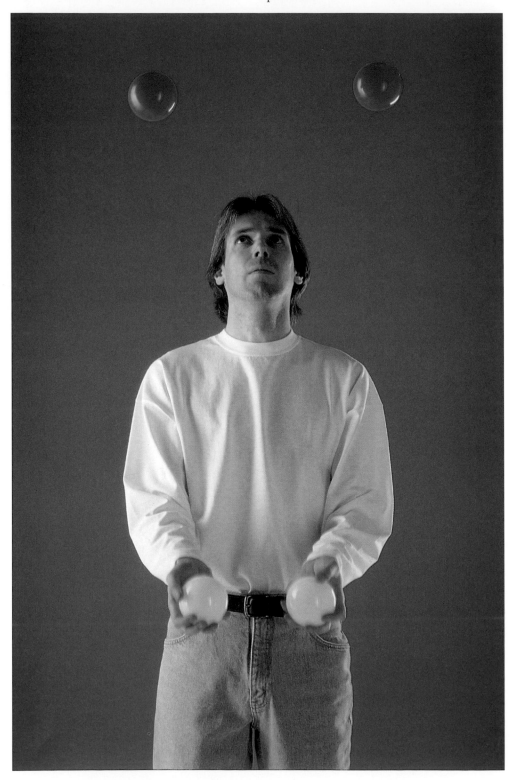

Jonglage avec quatre balles : deux sont lancées en l'air parallèlement en même temps.

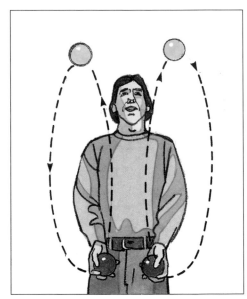

Mouvement circulaire vers l'extérieur.

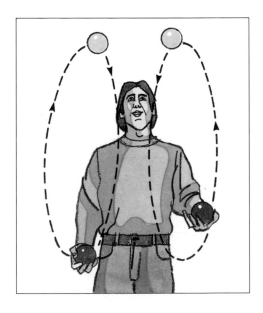

Mouvement circulaire vers l'intérieur.

mais en lançant les balles de chaque main à des moments différents ; il semble que les balles se croisent d'une main à l'autre, même si c'est faux. Le résultat n'est que meilleur si vos balles sont de couleurs différentes, avec

Jongler avec quatre balles en les lançant alternativement de chaque main.

une dans chaque main, comme le montre la photo de droite.

Séparer les balles

La Séparation des Balles est une variation très impressionnante lorsque, simultanément, vous lancez une balle de chaque main en l'air, du côté droit et en colonnes parallèles, et qu'ensuite, vous lancez les deux autres de la même façon mais du côté gauche. Il est utile de bouger les hanches et les épaules d'un côté à l'autre.

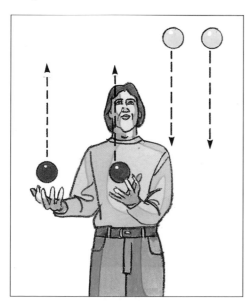

La Séparation des Balles

La figure aux quatre balles espacées, balles lancées en l'air alternativement.

33

Cinq balles

Jongler avec cinq balles est beaucoup plus difficile qu'avec quatre et beaucoup plus difficile qu'avec trois. On utilise la figure de la Cascade et c'est la plus facile pour jongler avec un nombre impair d'accessoires que ce soit avec trois, cinq ou sept objets.

Ce qui se passe c'est que vous lancez les trois premières balles en l'air - une de la main dominante, une de la main faible et l'autre de la main dominante - et, tandis qu'elles sont en l'air, lancez les deux suivantes en l'air - une de la main faible et une de la main dominante. Un «Flash» à trois balles est une bonne façon de progresser petit à petit vers un jonglage à cinq balles. Tenez simplement trois balles comme pour la Cascade normale et lancez-les plus haut et plus vite que d'habitude. L'idée est d'arriver à avoir les trois balles en l'air en même temps. Lancez à droite, à gauche, à droite puis attrapez à gauche, à droite, à gauche. Lorsque les trois balles sont en l'air, essayez de taper des mains,

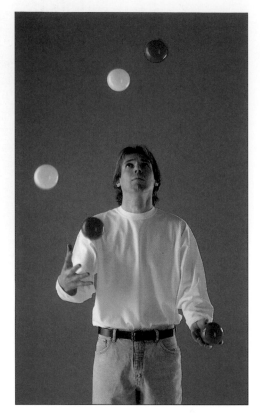
La Cascade à cinq balles.

comme sur la photographie ci-dessous, avant de les attraper de nouveau. Cela vous donne une idée de la vitesse, la précision et la hauteur dont vous avez besoin pour jongler avec cinq balles. Entraînez-vous également à tenir trois balles dans la main droite et à vite les lancer en l'air vers la main gauche ; en réalité, vous faites simplement la partie de la figure destinée à la main droite. La première balle ne doit pas arriver dans la main gauche avant que la dernière soit partie de la main droite. Attrapez toutes les balles dans la main gauche puis répétez l'action vers la main droite.

Lorsque vous avez saisi ce mouvement, au lieu de rassembler les balles dans la main qui réceptionne, relancez chacune d'entre elles immédiatement après leur retombée de façon à ce que les trois balles se suivent sur le modèle, en temps, de la figure à cinq balles.

Avec cinq balles, entraînez-vous à lancer les cinq rapidement et avec précision - droite, gauche, droite, gauche, droite - sans essayer de les rattraper du tout pour perfectionner votre lancer. Imaginez qu'il y a deux cibles de chaque côté de votre tête, un

Lancez trois balles en l'air et tapez des mains avant de les rattraper.

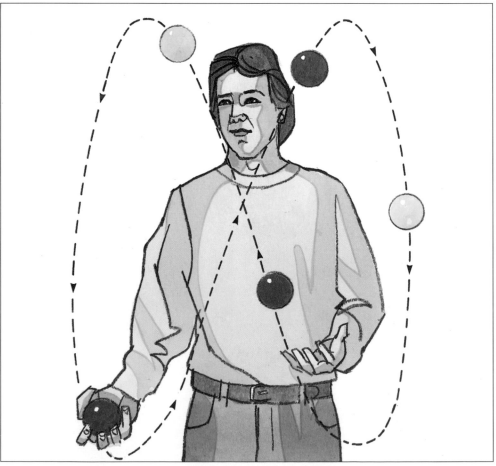
La Cascade à cinq balles.

peu plus haut : essayez de les toucher avec les balles. Après ça, la réussite de cette figure est une question d'entraînement et de pratique à répétition dans le but d'en maîtriser au maximum la fluidité.

Demi-Douche à cinq balles

Nombre de variations possibles avec trois balles sont également réalisables avec cinq.

La Demi-Douche avec trois balles, évoquée dans le chapitre 1, en est un exemple.

La version à cinq balles part exactement du même principe, avec la main dominante faisant un mouvement circulaire vers l'extérieur et la main faible faisant toujours un mouvement circulaire vers l'intérieur.

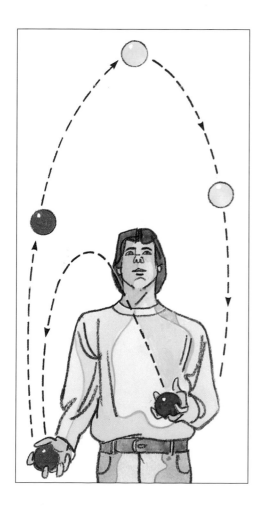

La main dominante lance la balle en arc de cercle par-dessus la balle lancée de la main faible. Après le lancer, la main faible se déplace vers l'intérieur pour en faire un plus petit.

La Demi-Douche à cinq balles.

35

Rebondissement de balles

Faire rebondir trois balles

Vous avez un maximum de possibilités en appliquant cette technique. Les meilleures balles à utiliser sont celles en silicone car elles rebondissent pratiquement jusqu'au point de départ. Cela rend le rattrapage dans le ceux de la main plus facile avant de les lâcher de nouveau. Au sol, l'idéal est de les faire rebondir sur une surface lisse, horizontale et très dure, une dalle ou un sol en

marbre. Cependant, du simple caoutchouc ou des balles de tennis feront l'affaire sur le sol d'un gymnase pour nombre de figures.

Lorsque l'on fait rebondir des balles, on a deux solutions principales suivant que l'on force la balle vers le bas en gardant la paume des mains tournée vers le bas ou alors, comme pour la Cascade Inversée, en lançant les balles un peu en l'air. Pour ce dernier lancer, vous gagnez du temps en envoyant la balle vers le haut car c'est plus facile.

Il est également possible de réaliser la Douche avec trois balles comme ci-dessous.

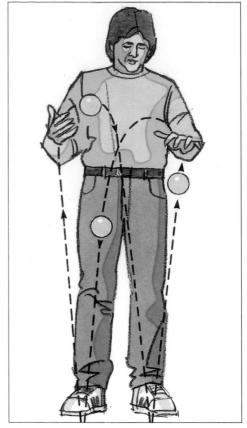

Balles forcées d'atterrir.

Rebondissement forcé des trois balles.

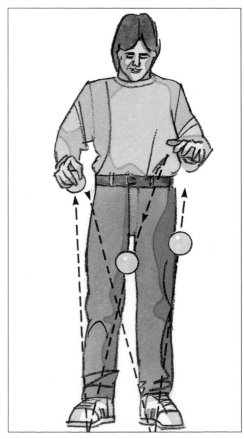

Cascade Inversée rebondissante.

36

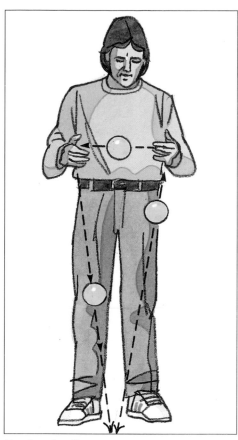

Douche rebondissante.

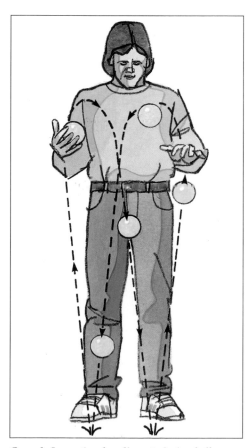

Cascade Inversée rebondissante à cinq balles.

Faire rebondir cinq balles
C'est plus facile que de jongler avec cinq balles en l'air car vous ne combattez pas autant la pesanteur; de plus, avec la Cascade Inversée rebondissante, vous gagnez du temps, tout comme avec trois balles.

De la même manière que vous essayez de toucher des points imaginaires en l'air lorsque vous lancez les balles, vous devez faire la même chose au sol, en lançant les balles de façon à ce qu'elles touchent deux points équivalents par terre.

Une attitude nonchalante donne encore plus d'effet à la figure.

CHAPITRE 4
JONGLER AVEC DES MASSUES, DES TORCHES ENFLAMMÉES ET DES ANNEAUX

Ayant appris à jongler avec des balles, de nombreuses personnes veulent progresser et arriver à manier les accessoires plus spectaculaires que sont les massues, les torches et les anneaux. Presque tous les numéros que l'on peut faire avec des balles peuvent également être exécutés avec des massues ou des anneaux.

Le lancer d'une massue
La différence essentielle entre le jonglage avec massues et le jonglage avec balles est que la massue accomplit une révolution en l'air qui doit être contrôlée. Le poids des massues est étudié afin que celles-ci tournoient une fois lancées. Si ce n'est pas le cas, il est difficile de les lancer. Plus le lancer est fort, plus le nombre de rotations produit est grand.

Entraînez-vous à jeter en l'air la massue d'une main, de façon à ce qu'elle fasse un tour avant de la rattraper. Tenez-la de manière à ce qu'elle soit parallèle au sol puis baissez votre bras et lancez la massue en l'air en usant davantage de votre bras que de votre poignet. Voyez également si vous pouvez faire une double rotation avec un peu plus de force.

Ensuite, entraînez-vous à lancer une massue d'une main à l'autre (voir photo ci-contre). Pour obtenir le rythme du jonglage, essayez d'utiliser une massue et deux balles selon la figure de la Cascade.

Jonglage avec torches enflammées : exercice très difficile dans l'obscurité totale puisque vous voyez la flamme mais pas les manches !

Le jonglage avec massues

Il existe de nombreuses sortes de massues dans le commerce. N'hésitez pas à demander conseil pour savoir lesquelles acheter. C'est, dans une large mesure, une question de choix personnel. Toutefois, si vous appartenez à une troupe de jongleurs locaux, je vous conseille de choisir une massue semblable à celles utilisées dans nos illustrations dans la mesure où il est plus facile de se passer les massues si les vôtres ont le même poids, la même forme et la même longueur que celles des autres. Il est préférable de choisir des massues légères et fines pour des exercices avec plusieurs accessoires (c'est-à-dire quatre ou cinq) ; elles sont aussi plus faciles à attraper lorsqu'elles ont été lancées dans le mauvais sens, ce qui arrive souvent au cours de l'apprentissage !

Pour le jonglage en extérieur, on préférera une massue plus lourde car elle ne sera pas déviée de sa course par le vent. Gardez à l'esprit que, pour les besoins d'un spectacle, les massues dont les extrémités arrondies sont larges sont plus visibles.

Entraînez-vous à l'exercice de la Cascade avec des balles et une massue.

Une massue est conçue pour être lancée alors qu'elle est tenue au milieu du manche.
Si vous la tenez par le pommeau (l'extrémité du manche), vous risquez de vous frapper au visage.

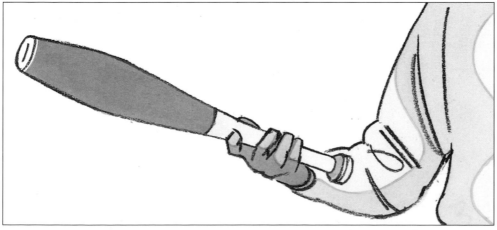

Travaillez le lancer d'une massue d'une main à l'autre. Commencez par la massue maintenue à environ 45° de votre flanc.

Baissez votre bras puis saisissez la massue après l'avoir lancée une fois parallèle au sol.
Rattrapez-la de l'autre main.

Tenir les massues prêtes à être lancées.

Jongler avec trois massues

Tout d'abord, prenez une massue dans chaque main et exercez-vous à les faire passer d'une main à l'autre. Pour cela, lancez la massue de votre main dominante et tandis qu'elle fait une rotation, lancez celle de votre main faible.

Pour jongler avec trois massues, tenez-en deux dans votre main dominante (voir photographie ci-contre). C'est la massue rose qui devra être lancée en premier.

Pour mettre fin à l'exercice, attrapez une massue dans votre main dominante, puis la deuxième dans votre main faible et, tandis que la dernière se dirige vers votre main dominante, vérifiez que la première massue est bien tenue par le pouce, de façon à ce que vous puissiez écarter vos doigts et tenir la troisième massue.

Vous pouvez, de temps en temps, travailler le lancer de la massue en lui faisant faire non pas une triple rotation mais une double rotation. Ou bien, lancez chaque massue en lui faisant faire une double rotation ou, si vous lancez avec un peu plus de puissance, une triple rotation. Voyez comme votre double rotation peut être basse et rapide. Faites la

Après avoir lancé la massue orange, la main droite peut maintenant attraper la massue verte

Saisissez puis lancez la première massue de la main qui tient les deux massues.

Lorsque la première massue tourne, saisissez et lancez la seconde. Attrapez la première.

Tandis que la deuxième massue tourne, saisissez et lancez la troisième. Lorsqu'elle fait une rotation, lancez la première massue, laquelle se trouve maintenant dans l'autre main.

même chose avec des triples rotations.

Reprenez les mouvements que vous pouvez faire avec trois balles comme celui qui consiste à les faire passer sous la jambe, et essayez avec des massues.

Il est possible que vous trouviez cet exercice plus facile à exécuter avec une massue ou une massue et deux balles.

Envoyer la massue en l'air à l'aide du pied ou comment, de façon impressionnante, commencer un exercice ou ramasser un accessoire que vous avez laissé tomber.

Placez la massue sur votre pied, le corps de l'objet dirigé vers l'extérieur et l'avant du pied. Redressez vos orteils de façon à ce que le manche soit sur votre pied et que la massue se niche entre le bout de vos orteils et votre tibia. Veillez à ce que votre pied reste fléchi lorsque vous envoyez et renvoyez la massue. Le manche arrive au niveau du tibia et la massue fait une simple rotation vers votre main.

Vous pouvez laisser tomber une massue pendant le jonglage de façon à ce qu'elle retombe sur le pied et puisse être renvoyée en l'air et retrouve sa place dans la figure.

L'exercice est très beau à voir lorsque l'on fait tomber les massues de chaque côté ; cela vaut donc la peine d'apprendre à envoyer et renvoyer l'accessoire avec l'un ou l'autre pied.

Cet exercice est utile également lors du passage des massues puisque c'est un moyen de les rattraper après une chute. Tout comme vous vous lancez la massue à vous-même, vous pouvez directement la faire passer avec votre pied à votre partenaire au lieu de la lancer en diagonale.

Lancez la massue rouge à l'aide de votre pied et levez celle de la main droite de façon à pouvoir attraper la rouge.

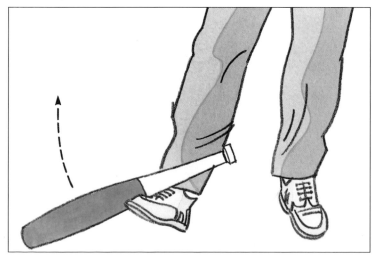

Mettez-vous en position de lancement par le pied.

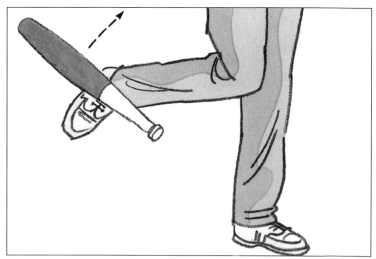

Ramenez votre pied vers l'arrière en le soulevant.

La technique « coupée » (Chops)

Dans ce mouvement impressionnant mais difficile, vous ramenez continuellement des massues dans votre main selon une technique de « coupe » vers le bas et en travers du corps. Il est possible que l'exercice soit plus facile pour vous si vous apprenez à le faire avec des balles d'abord.

D'un coup sec et en diagonale, baissez votre main munie de la massue, et envoyez la deuxième massue sous cette main avant de lancer la première.

Commencez avec une seule massue dans chaque main. Soulevez celle qui se trouve dans votre main dominante et lancez-la avec un mouvement coupé comme si vous coupiez du bois. Lancez la massue qui se trouve dans votre main faible au-dessous de la main dominante (voir illustration ci-contre, à gauche). Jetez celle de votre main dominante à hauteur de la taille.

Arrivé à ce point de l'exercice, vos bras sont croisés. Décroisez-les et attrapez de votre main dominante la première massue lancée. Attrapez la seconde dans votre main faible. Répétez ce mouvement jusqu'à ce qu'il devienne régulier.

Maintenant, apprenez le même geste, le mouvement en diagonale étant fait, cette fois, par la main faible.

Enfin, alternez la technique « coupée » avec d'abord votre main dominante puis votre main faible.

Avec trois massues, apprenez d'abord à faire des « coupes » avec seulement votre main dominante : commencez avec deux massues dans votre main faible. Utilisez votre main dominante et lancez la première massue qui se trouve dans la main faible, sous la main dominante. Lancez la seconde massue de la main dominante comme décrit précédemment. Attrapez la première massue avec votre main dominante, baissez d'un coup la troisième massue et lancez-la sous la main dominante. Attrapez la seconde massue dans votre main faible. Vous devez maintenant, de façon continue, faire des « coupes » avec la main domi-

nante et envoyer la massue au-dessous de cette dernière.

Apprenez le même mouvement, cette fois, avec la main faible au lieu de la main dominante.

Pour exécuter la technique «coupée» en alternance avec la main droite puis la main gauche, commencez de la même manière, ensuite, suivez les indications données dans les illustrations ci-dessous.

La main gauche est sur le point de diriger vers le bas, d'un geste rapide et en diagonale, la massue rose.

Levez le bras, celui de la main faible, afin d'attraper la massue orange et dirigez-la, d'un coup sec et en diagonale, vers le bas tandis que vous lancez la massue rose en direction de la main faible.

Utilisez la même technique avec la massue rose située dans votre main dominante tout en lançant la massue verte au-dessous de cette même main.

Attrapez la massue verte et, toujours d'un coup sec et en diagonale, dirigez-la vers le bas puis lancez-la en l'air en même temps que vous utilisez la même technique avec la massue rose.

Derrière le dos

Prenez une massue et lancez-la en l'air derrière votre dos, de façon à ce qu'elle passe autour de l'épaule et qu'elle soit rattrapée pratiquement dans la même position que celle où vous attraperiez un objet lancé normalement. Assurez-vous que vous tournez la tête et que vous donnez à la massue assez de poids pour pouvoir la repérer.

Essayez cet exercice avec une double rotation, ce qui vous donne plus de temps.

Jonglez avec trois massues, normalement, et essayez d'en lancer une derrière votre dos. Pour gagner du temps, on peut donner à la massue précédente un peu plus de poids.

Refaites l'expérience avec une double rotation. Développez l'exercice en commençant par lancer une massue derrière le dos, avant d'exécuter chaque lancer avec une seule main.

Assurez-vous que vous travaillez des deux mains. Une fois que vous savez exécuter cette technique avec chacune des mains, essayez celle des «Croix dans le Dos», figure dans laquelle chaque lancer est fait derrière le dos. Dans cet exercice, ce qui compte le plus est la précision. Essayez d'éviter de lancer des massues selon des trajectoires larges ou trop basses. Les doubles rotations sont plus faciles que les simples rotations dans la mesure où chaque massue reste plus longtemps en l'air, ce qui vous donne plus de temps pour réagir.

Une fois la massue orange lâchée derrière le dos, la main droite revient rattraper la massue verte.

Pour les «Croix dans le Dos», lancez une massue derrière votre dos.

Alors que la massue atteint son point le plus haut, lancez celle qui se trouve dans l'autre main derrière votre dos. Répétez ce mouvement avec chaque massue.

43

La massue en équilibre

Apprenez à faire tenir en équilibre une massue placée sur une autre massue (voir photographie ci-contre). Vous devez vous concentrer sur le sommet de la massue tenue en équilibre. Si elle penche en avant, vous devez, pour compenser, avancer la massue qui se trouve en-dessous. En l'avançant un peu plus, la massue qui se trouve au-dessus s'incline vers l'arrière, ce qui vous permet de rapprocher votre main.

Tout d'abord, vous ressentirez fortement le besoin de déplacer votre main mais, petit à

petit, vous serez capable de reconnaître un début d'inclinaison et d'agir rapidement pour la corriger. A la fin, vous ne bougerez presque plus votre main.

Pendant que vous jonglez, lancez la massue tenue par votre main dominante, droit en l'air, avec une double rotation. Alors que cette massue est en l'air, attrapez la suivante en faisant en sorte qu'elle arrive dans cette même main dominante, et placez-la sur la massue se

trouvant dans la main faible. Saisissez à l'aide de votre main dominante celle que vous avez lancée avec une double rotation.

Pour reprendre le jonglage, utilisez la massue que vous tenez à la main pour enlever d'un geste rapide celle placée en équilibre.

Pour varier l'exercice, vous pouvez faire tourner la massue en équilibre et l'attraper au niveau de l'extrémité arrondie, au même endroit.

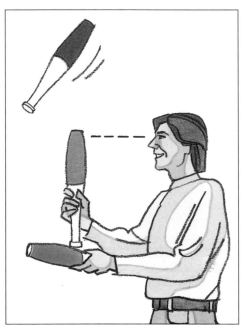

On peut faire tenir en équilibre deux massues l'une sur l'autre.

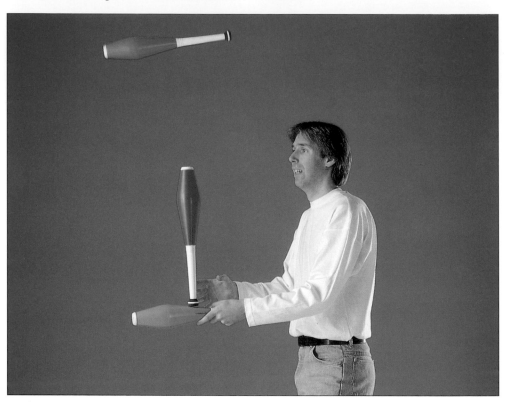

Appliquez-vous à garder la massue en équilibre plutôt qu'à rattraper l'autre dans votre main droite.

Jongler avec du feu produit autant d'effet vu de côté.

> Si, lorsque vous jonglez avec des massues, vous n'attrapez pas systématiquement la bonne extrémité, alors vous n'êtes pas prêt à jongler avec des objets enflammés.

Jongler avec des torches enflammées

Vous êtes-vous jamais demandé d'où venait l'expression : « a sure-fire crowd pleaser » (quelqu'un qui étonne à coup sûr) ? Il est possible que son origine ne se trouve pas dans le jonglage mais il ne fait aucun doute que les techniques avec accessoires enflammés constituent un spectacle hypnotique et étonnant.

Comme toute activité impliquant l'utilisation du feu, l'exercice peut être dangereux et doit être exécuté uniquement en extérieur, loin de tout matériau combustible et en présence d'une personne pourvue d'un extincteur au cas où quelque chose tournerait mal.

Si vous décidez de jongler avec du feu, assurez-vous que vous utilisez des torches en excellent état, achetées chez un vendeur

de bonne réputation et entretenez-les.

Demandez conseil au commerçant pour savoir quel combustible volatile et léger utiliser : du pétrole, par exemple (ou parafrine), ou du white-spirit. N'utilisez, en aucun cas, de l'essence ou du gasoil. Conservez le combustible dans un contenant ignifugé et étanche.

Plongez les mèches dans le combustible sur toute leur longueur, pendant deux ou trois secondes, puis secouez vigoureusement le liquide en excès pour éviter que les étincelles ne n'envolent. Travaillez d'abord avec les torches éteintes. Souvenez-vous qu'une fois celles-ci allumées, la traînée provoquée par la flamme va ralentir leur rotation. Avant d'allumer les torches, vérifiez que vous êtes à l'abri du vent. Si une massue retombe dans votre main du côté de la flamme, laissez-la tomber très vite, ainsi il est peu probable que vous soyez brûlé.

L'anneau jaune entamant sa chute, on jette en l'air l'anneau rouge.

Position de départ avec trois anneaux. L'anneau jaune est placé entre le pouce et l'index.

Pour le jonglage avec plusieurs accessoires, les anneaux sont excellents : ils sont si fins que le risque de collision est faible lorsqu'ils sont en l'air. Cependant, il ne sert à rien d'essayer de jongler avec lorsqu'il y a le moindre souffle de vent. Faites tourner en l'air chaque anneau sinon ils oscillent.

Le jonglage avec anneaux donne des effets intéressants : le changement de couleurs, en particulier, en fait partie. Il est exécuté d'une main ou avec les deux si l'on veut augmenter la vitesse. Achetez des anneaux avec une couleur différente de chaque côté ou bien collez deux anneaux ensemble (utilisez un ruban adhésif double face si vous voulez les séparer plus tard !).

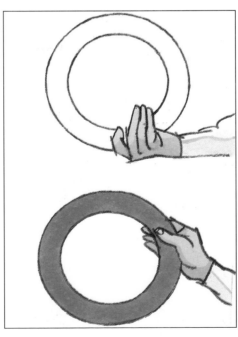

Pour exécuter la technique du changement de couleur devant les yeux des spectateurs, attrapez l'anneau en sous-main, retournez-le et lancez-le.

Entre travailler avec une seule personne et travailler avec l'équivalent d'un orchestre, les possibilités d'explorer les diverses manipulations que l'on peut faire en jonglage sont infinies.

Ce chapitre s'attache à quelques variations concernant le jonglage avec trois objets, entre deux personnes, puis l'échange de balles et de massues. On peut intégrer dans cette technique-ci un grand nombre de figures précédemment évoquées qui nécessitent peu d'expérimentation.

Dès que vous aurez maîtrisé la Cascade, essayez de vous joindre à d'autres jongleurs et de développer les techniques nécessaires à l'exercice du passage des objets.

Vous trouverez, à la fin de l'ouvrage, des indications sur la façon d'entrer en contact avec d'autres jongleurs.

Nombreux sont les jongleurs qui apprécient l'opportunité d'être avec une personne ou plus et de leur lancer des objets. Ce qu'il y a de très bien dans le jonglage, c'est, entre autres, la dépendance mutuelle qui rend la coopération essentielle. Dans l'exercice du passage des accessoires, il est particulièrement important d'essayer de rendre vos lancers aussi faciles à attraper que possible.

Déterminez le point vers lequel vous devez lancer (vers votre partenaire) pour lui faciliter toute saisie et visez.

Répartissez-vous le temps lorsque vous échangez vos objets : de façon égale si vous avez réussi cinq coups, laissez ensuite votre partenaire faire cinq passes.

Si vous avez de la chance, un jongleur expérimenté vous consacrera du temps pour vous aider à vous améliorer. Lorsque vous serez devenu un passeur compétent et lorsqu'un débutant viendra vers vous, donnez-lui de votre temps et aidez-le.

Le passage de six massues entre deux personnes.

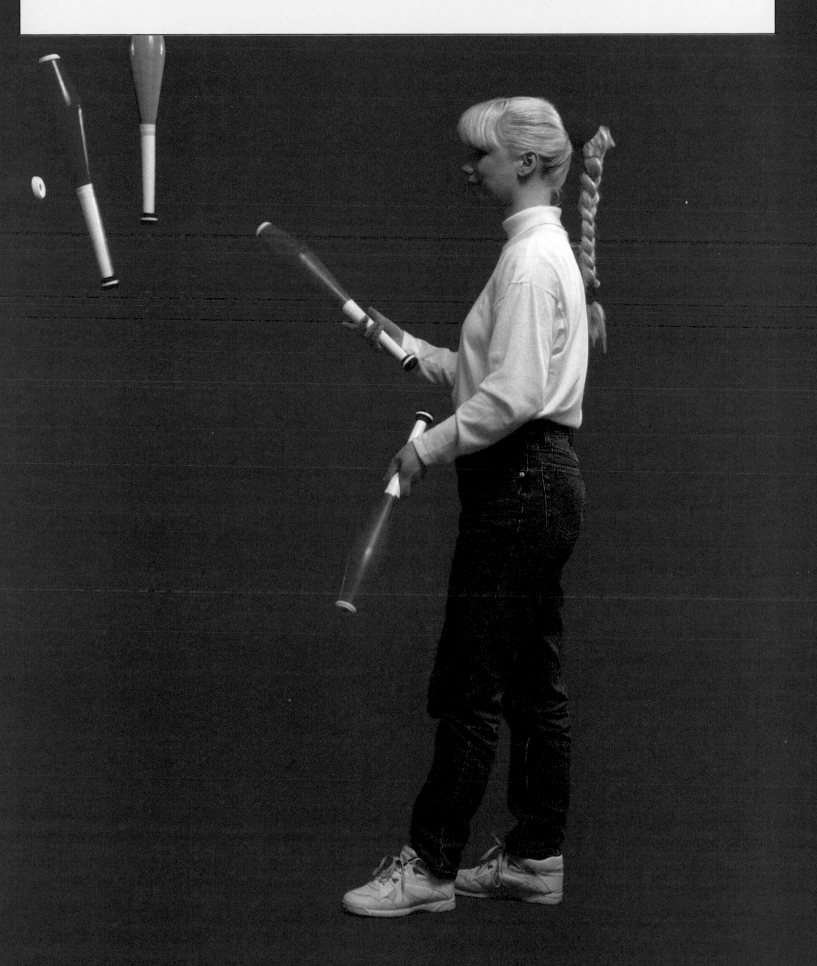

CHAPITRE 5
JONGLER A PLUSIEURS

Voler la balle à son partenaire, sur le côté.

48

Voler la balle à son partenaire

Face à votre partenaire

Dans cette technique, le partenaire fait tomber en Cascade trois balles, face à vous.

Vous tendez les bras et volez les trois

balles sans interrompre la figure. Votre partenaire doit vous aider pour cela, en jonglant lentement et en lançant les balles un peu plus haut que d'habitude. Au départ, si les balles sont lancées légèrement dans votre direction, cela peut vous aider. Cependant, cette technique apparaît moins réelle pour le public.

Entraînez-vous à vous voler les balles

vers l'arrière et vers l'avant. Voyez si vous pouvez vous reprendre la balle d'un coup, sans pause. Il est possible de varier l'exercice en volant une seule balle. Votre partenaire continue de jongler normalement, simplement, il lui manque une balle. Repérez le moment où la balle volée risque d'atteindre son point le plus haut et récupérez-la dans la figure.

Tandis que votre partenaire, qui jongle à moitié, lance une balle de sa main gauche, vous la lui volez de votre main gauche au moment où elle atteint son point le plus haut.

Alors que la balle suivante lancée de la main droite de votre partenaire atteint son point maximum, vous la volez avec votre main droite. Vous disposez maintenant d'une balle dans chaque main.

Tandis que la troisième balle de votre partenaire monte à son niveau maximum, vous lancez celle qui se trouve dans votre main droite, selon la figure régulière de la Cascade, puis vous attrapez la troisième balle. Vous jonglez maintenant avec les trois balles.

Voler la balle sur le côté

Placez-vous à gauche de votre partenaire qui jongle normalement. Glissez votre main droite devant sa poitrine même si vous allez voler la première balle de votre main gauche. Prenez la deuxième balle avec votre main et faites entrer le mouve-

ment de la troisième dans votre propre jeu. Tandis que vous jonglez, votre partenaire peut maintenant faire un pas à droite et s'approcher de vous sur votre gauche pour vous voler les balles. Devenant plus expérimenté, vous pouvez accélérer la technique de façon à ce que l'on croie que les balles

restent à un seul endroit, les deux jongleurs réalisant des cercles toujours plus rapides.

On appelle cet exercice le «run-around», et il est très intéressant quand il est exécuté avec des massues.

De votre main gauche, volez et soulevez la balle qui a été lancée de la main droite de votre partenaire au moment où elle atteint son point le plus haut.

Votre main droite est placée de façon à prendre la balle suivante alors que celle-ci se dirige vers la main droite de votre partenaire.

Vous disposez maintenant d'une balle dans chaque main. La troisième balle lancée par votre partenaire devient la première balle de votre jonglage.

Echange de six balles entre deux jongleurs

Il existe une condition préalable au succès de l'échange de balles : la capacité à jongler doucement et régulièrement tout en regardant, à travers la figure représentée, quelque chose ou quelqu'un d'autre. Au lieu de vous concentrer sur votre jeu, il vous faut être capable de fixer votre regard sur le point vers lequel vous voulez lancer et sur celui d'où viendra la balle.

Vous devez également vous assurer que vous jonglez au même rythme que votre partenaire - ni plus vite, ni plus lentement - et à la même hauteur. Cela vous permet de lancer les balles au même moment.

Mettez-vous face à votre partenaire, à une distance d'environ six pieds (1,80 m). Il existe une procédure courante pour vous assurer que vous commencez à jongler ensemble. Chaque jongleur garde ses mains levées, la droite tenant deux balles et la gauche tenant une balle. L'un d'eux joue le rôle du leader : au moment où il dit «go», vous baissez tous les deux les mains et commencez à jongler, sans échanger, mais en faisant en sorte que vos lancers soient synchronisés.

Travaillez cet exercice en comptant tout haut chaque lancer que vous faites de votre main droite. Si vous ne comptez pas en même temps, vous n'êtes pas synchronisés.

Essayez de modifier la vitesse ou la hauteur de votre jonglage afin d'être au même rythme que votre partenaire.

Pour apprendre à se passer les balles, le

Tenir les balles prêtes à être lancées.

En douceur, envoyez les balles vers le haut en direction de votre partenaire plutôt que de les lancer à votre niveau.

50

plus facile est d'apprendre avec cinq balles : vous disposez de trois balles, votre partenaire de deux, une dans chaque main.

Commencez l'exercice comme indiqué ci-dessous mais vous êtes le seul à jongler.

Votre partenaire laisse la place libre à la balle qu'on lui envoie, et ce, en lançant la balle placée dans la main gauche, laquelle doit commencer à jongler. Au départ, le quatrième lancer, issu de la main droite, sera fait au même niveau que les partenaires.

Au lieu de compter «un, deux, trois, quatre», faites un compte à rebours : «trois, deux, un, passe».

Lancez la balle de la main droite et en douceur, directement vers la main gauche de votre partenaire. Tandis qu'elle s'approche du jongleur, celui-ci lance la balle qui se trouve dans sa main gauche qui va commencer à jongler normalement. A chaque lancer qu'il exécute de la main droite, il compte à rebours et le quatrième lancer est fait en direction de votre main gauche.

Lorsqu'on envoie une balle à son partenaire, il est important de faire en sorte que le lancer soit aussi précis et la balle aussi facile à attraper que possible. Regardez le point où vous voulez que la balle atterrisse ; ne vous contentez pas de la lancer.

Quand vous saurez faire l'exercice avec cinq balles, faites-le avec six balles. Ainsi, vous jonglerez et vous vous passerez les balles en même temps. Essayez d'échanger une balle sur trois de la main droite (c'est ce qu'on appelle le passage de la troisième), puis une balle sur deux (passage de la deuxième) et, enfin, chaque balle (le «showering» ou «averse»).

> **Rappel :**
> Le «showering» correspond au passage de chacune des balles ; le passage d'une sur deux indique le passage d'une balle sur deux, et le passage de la troisième se fait à chaque troisième balle.

Le 3-3-10

Le 3-3-10 est une figure classique qui fonctionne très bien face à un public puisque le rythme des échanges est de plus en plus rapide. Il comprend trois passages de la troisième (deux, un, passe), trois passages d'une sur deux (un, passe, un, passe) et dix «showers» (passe, passe, passe, passe, passe, passe, passe, passe, passe, passe,).

Le départ lent et le départ rapide

Il existe un départ lent, classique, qui consiste à baisser vos mains à chaque «go» et à vous faire deux lancers à vous-même de la main droite avant d'effectuer le troisième lancer en direction de votre partenaire.

Ainsi, par exemple, on compte un «départ lent : shower» de la façon suivante : «go, deux, un passe, passe...».

Lors du départ rapide, vous baissez les mains après chaque «go» et vous passez immédiatement. Ainsi, on compte un «départ rapide : passage d'une sur deux» comme suit : «go, passe, un, passe, un passe, un, passe...», et ainsi de suite.

Se rattraper après des chutes de balles lors de l'échange

Vous n'êtes pas obligé de cesser de jongler lorsque vous avez laissé tomber une balle. Jonglez en échangeant une balle sur trois et laissez tomber volontairement une balle près de votre pied droit. Arrêtez le jonglage en tenant une balle dans chaque main jusqu'à ce que votre partenaire vous fasse un lancer normal. Ensuite, vous jonglez et votre partenaire arrête. Selon le rythme habituel du passage d'une balle sur trois, passez la balle à votre partenaire et baissez-vous immédiatement pour ramasser de votre main droite celle que vous avez laissée tomber. Lancez-la en même temps que votre partenaire vous lance les balles selon le rythme d'une balle sur trois, et, à nouveau, vous jonglerez tous les deux.

Le même principe s'applique au passage de la deuxième ; vous avez seulement moins de temps pour ramasser la balle. Lors du «shower», le trou constitué par la balle manquante sera incorporé dans la figure, là où elle devrait se trouver normalement.

Lorsque ce trou «arrive» dans votre main droite, vous devez ramasser la balle tombée à terre, en un mouvement rapide et délicat.

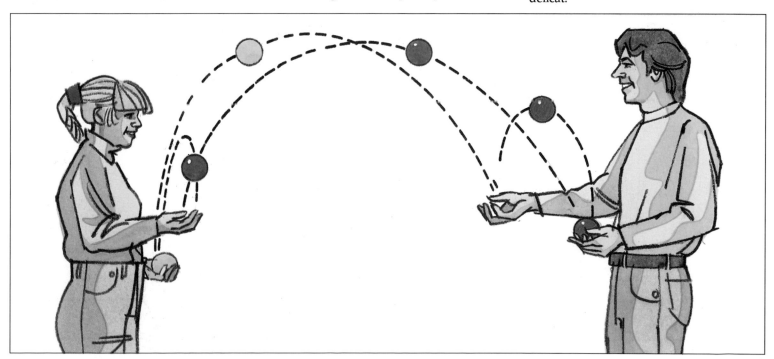

L'échange de six balles dans une figure régulière.

Le passage des massues

Les principes du passage des massues sont les mêmes que ceux du passage des balles, avec la rotation en plus. La massue doit faire une simple révolution entre vous et votre partenaire. Celle-ci doit se faire à un point qui se situe à la droite du partenaire, au niveau des épaules.

Vous faciliterez l'exercice si vous reculez légèrement la jambe droite. Avant d'être lancée, la massue que vous allez passer doit dessiner un mouvement circulaire vers le bas en suivant votre jambe droite. On s'assure ainsi que le bras a suffisamment d'élan, ce qui évite une trop grande sollicitation du poignet et donc une rotation courte et rapide.

Il est très important que chaque jongleur se concentre sur la précision de ses lancers.

Il n'y a rien de pire que de recevoir une massue en plein visage ! Apprenez le mouvement selon le rythme d'une massue sur trois, puis d'une sur deux et enfin, passez à la Douche («shower»).

Double et triple rotations

Ces mouvements, comme dans de nombreuses autres figures, sont plus intéressants s'ils sont appris sur le rythme d'une massue sur deux.

Il y a double rotation lorsqu'une massue fait deux révolutions avant d'être rattrapée.

Elle monte plus haut que lors d'une simple rotation. Afin de donner du temps à la massue pour réaliser, en hauteur, une double rotation, il est nécessaire qu'elle soit lancée plus tôt : on l'envoie donc de la main gauche plutôt que de la main droite. Elle est lancée en direction de la main gauche de votre partenaire, en diagonale.

Ainsi, lorsque vous travaillez sur le rythme d'une sur deux, la massue que vous recevez de votre partenaire dans votre main gauche lui est immédiatement renvoyée.

Elle doit arriver exactement en même temps et se placer comme dans un lancer régulier.

Après avoir envoyé la massue avec double rotation, vous avez gagné un peu de temps et vous devez résister à la tentation de lancer la massue suivante qui arrive dans votre main droite.

Quand on travaille selon le rythme d'une massue sur deux, on envoie assez haut et de la main droite la massue qui va réaliser une triple rotation, et ce immédiatement après que l'on a fait une passe régulière. Elle se place dans la main gauche de votre partenaire. Une fois la massue lancée, vous disposez d'une massue dans chaque main pendant un court moment et vous ne pouvez pas envoyer la suivante avant d'avoir reçu une massue de votre partenaire et commencé à en lancer une de votre main gauche à votre main droite.

Pendant le temps où la massue qui fait une double rotation est en l'air, et avant que votre partenaire ne vous en passe une, vous avez le temps de faire une pirouette.

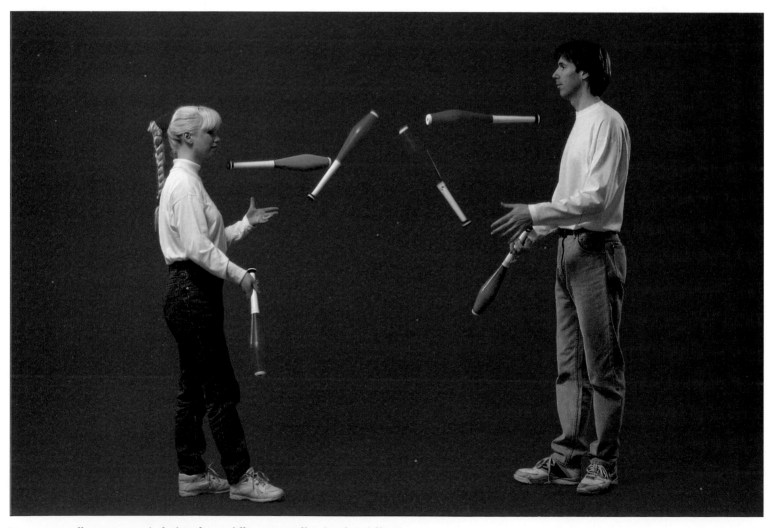

Les massues effectuent une révolution alors qu'elles passent d'un jongleur à l'autre.

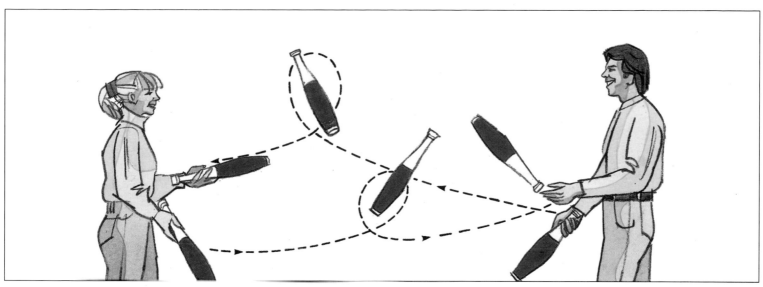

Ici, chaque jongleur réalise de simples rotations, de la main droite à la main gauche du partenaire, et en même temps.

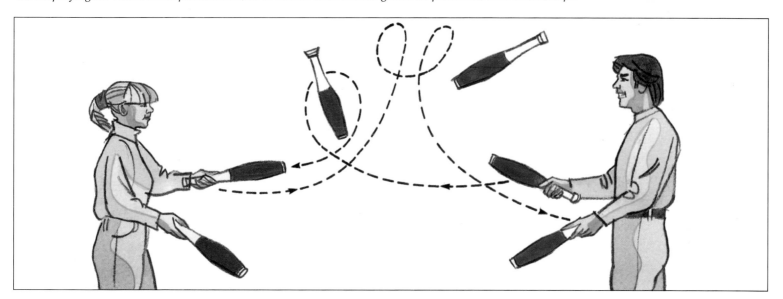

La jongleuse lance de la main gauche la massue qu'elle vient de rattraper, après une double rotation, et l'envoie dans la main gauche de son partenaire.

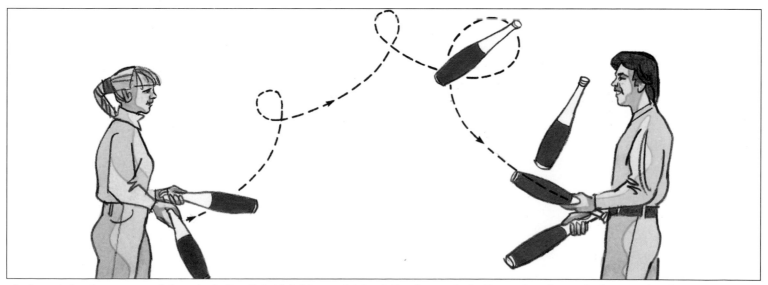

Après avoir lancé une massue de la main droite, elle lui fait faire une triple rotation de sa main droite vers la main gauche de son partenaire.

Sous la jambe

Si vous êtes capable de lancer une massue sous la jambe tout en jonglant seul, vous pouvez passer à votre partenaire une massue de la même façon sous la jambe. Vous pouvez lancer votre massue soit sous votre jambe droite, en partant de l'extérieur, soit sous votre jambe gauche, en partant de l'intérieur. Pour vous assurer que la massue est lancée assez loin de votre partenaire, tournez-vous légèrement sur votre droite.

Le même principe est appliqué lors des lancers arrière. Tournez sur votre droite, puis, de votre main droite, envoyez la massue derrière votre dos, en direction de votre partenaire.

A droite
Katie est prête à frapper sur la massue et à l'envoyer à Charlie.

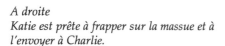

Sous la jambe

Il existe plusieurs variations possibles sur la façon d'attraper une massue et de la renvoyer. Faites une passe classique mais, au lieu de continuer à jongler, attrapez deux massues dans votre main droite et une massue dans votre main gauche. Vous pouvez soit lancer de votre main gauche la massue à votre partenaire, soit frapper dessus avec les deux massues qui se trouvent dans la main droite (voir photographie). Il s'agit plus d'un mouvement de poussée que d'un coup ; ainsi, vous gardez le contrôle sur la vitesse et la trajectoire de la massue. Parmi les variations possibles, il y a celle qui consiste à faire semblant de faire un service (comme au tennis), ou bien on peut placer le manche sur le sol, côté bout arrondi, et en le tenant fermement pour ensuite faire semblant de le lancer avec le pied alors qu'en fait, on l'envoie d'un léger coup de la main.

A gauche
On peut lancer la massue en direction de son partenaire sous l'une ou l'autre jambe.

Se passer les massues dans le dos est aussi difficile que cela en a l'air.

Dos à dos

Placez-vous, vous et votre partenaire, dos à dos ; lancez la massue vers le haut et bien en arrière (non pas en diagonale).

Il est très important de jongler et de lancer les objets en même temps. Comme vous ne pouvez pas vous voir, vous pouvez, au moment où vous dressez vos massues pour commencer l'exercice, taper avec vos massues sur celles de votre partenaire : vous indiquez ainsi que le jonglage commence et vous comptez à voix haute. Travaillez sur le rythme d'une massue sur trois et faites des doubles rotations.

Rappelez-vous que votre partenaire se trouve juste derrière vous, par conséquent, faites attention à ne pas lancer votre massue trop loin en arrière. Continuez à parler à votre partenaire : conseillez-le sur la précision de ses lancers.

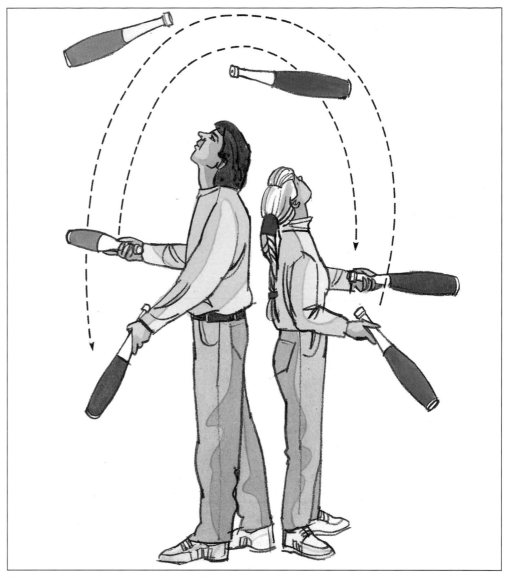

Faites une Cascade normale ; selon le rythme d'une sur trois, lancez la massue de la main droite au-dessus de votre épaule droite. Votre partenaire lève la main gauche qui s'apprête à rattraper la massue par en-dessous. Il lance en même temps de l'autre main.

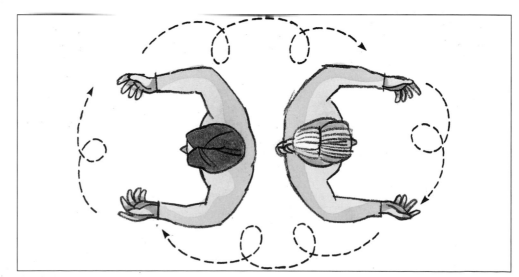

Dos à dos, avec doubles rotations.

55

Figures d'échanges avec plusieurs personnes

Vous avez appris à faire des passes avec une autre personne. Maintenant, vous pouvez passer à des figures d'échanges avec plusieurs partenaires.

La Réplique (ou «feed»)

La réplique est la figure de base. Ici, un jongleur - «le feeder» - fait des passes en alternance avec deux autres jongleurs (ou plus), les «feedees». Tous les trois commencent doucement, en même temps, le «feeder» jonglant selon un rythme d'une sur deux, d'abord en direction du partenaire qui se trouve sur sa droite, puis vers celui qui est sur sa gauche. Les «feedees» jonglent sur le rythme d'une sur quatre (quatre, trois, deux, un, passe). Pour éviter d'échanger les massues en même temps que l'autre «feedee», le «feedee» qui a reçu une massue du «feeder» et qui va l'envoyer à son confrère, doit commencer sur un rythme d'une sur quatre plutôt que sur celui d'une sur trois, comme c'est le cas habituellement lors d'un départ lent où l'on compte comme suit : quatre, trois, deux un, passe - après quoi, il continue à faire ses lancers selon un rythme d'une sur quatre.

A partir de là, on peut faire en sorte que le «feeder» lance les massues les unes après les autres, tandis que les «feedees» envoient les leurs sur un rythme d'une sur deux. On peut également faire des doubles et triples rotations.

Le Triangle

Chaque jongleur se place à un coin d'un triangle équilatéral et fait ses passes en même temps que les autres. Pour bien mesurer la distance qui sépare les jongleurs les uns des autres, on peut déployer les bras munis des massues de façon à ce que celles-ci touchent les extrémités des massues tenues par les partenaires se trouvant de chaque côté.

Vous pouvez vous passer les massues vers l'intérieur ou vers l'extérieur. Pour l'échange vers l'intérieur, vous lancez la massue vers la main gauche de la personne placée sur votre gauche. Les trois jongleurs se passent les objets en même temps ; il est donc important de les lancer avec précision en direction de l'épaule de la personne qui va les rattraper. Tournez-vous et regardez-la lorsque vous lancez votre massue ; puis tournez-vous pour regarder celle que vous allez recevoir de votre autre partenaire.

Si vous avez des problèmes, vérifiez bien que chacun de vous est placé à chaque coin d'un triangle équidistant et que vous jonglez au même rythme que les autres.

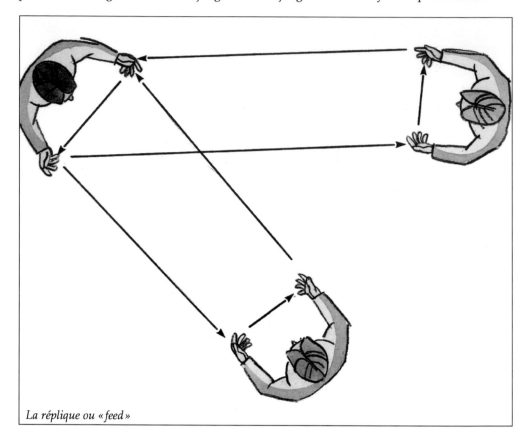

La réplique ou «feed»

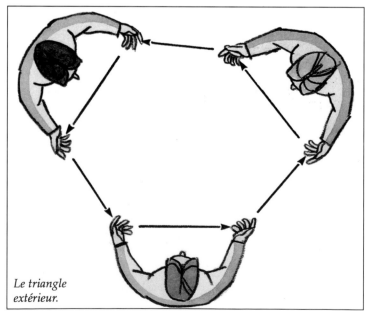

Le triangle extérieur.

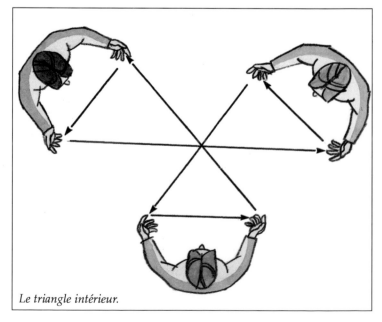

Le triangle intérieur.

Maintenant, concernant l'échange vers l'extérieur, lancez votre massue dans la main gauche de la personne qui se trouve sur votre droite. Ayez à l'esprit que cette dernière est très proche de vous, par conséquent, il est nécessaire que votre lancer soit court et léger.

Vous pouvez également réaliser un triangle intérieur-extérieur où vous lancez votre massue en alternance vers la personne placée sur votre gauche et vers celle se trouvant sur votre droite.

Apprenez ces figures selon un rythme d'une sur trois puis développez l'exercice en travaillant sur un rythme d'une sur deux et sur celui du «shower». Il est aussi possible de faire un 3-3-10 ainsi que d'autres figures.

La Boîte

Quand elle est réussie, la boîte est l'une des figures les plus grisantes qui soient ! Deux jongleurs se passent les massues, l'un en envoyant une, l'autre la rattrapant, tandis que deux autres jongleurs s'échangent leurs objets dans la même zone.

Chaque jongleur se place sur chaque coin d'un carré et échange ses massues avec le jongleur qui est diagonalement opposé à lui. Pour éviter les collisions, il existe un départ décalé qui permet à un couple de jongleurs de commencer après que l'autre couple a compté «un». Pour cela, on peut démarrer avec deux massues dans la main gauche, de façon à ce qu'il y ait un coup supplémentaire avant que la main droite habituelle commence à lancer lentement.

Essayez de passer d'un rythme d'une sur trois à un «shower». Il est possible également que les quatre jongleurs lancent leurs massues en même temps, tant que vous êtes bien placés sur les coins du carré et que vos passes et saisies sont plus amples que d'habitude, vos bras étant bien déployés. Prenez garde aux massues qui sont en l'air car il risque d'y avoir des collisions !

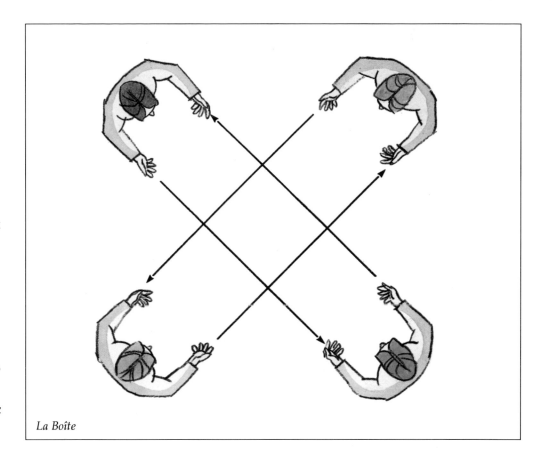

La Boîte

La Ligne

Trois jongleurs peuvent jongler en formant une ligne, les deux premiers se tenant en face du troisième. Chacun commence avec une massue et la lance en même temps. Le jongleur placé à droite (voir illustration ci-dessous) fait faire une simple rotation à sa massue, lancée vers le partenaire se tenant au milieu, lequel renvoie, dans un mouvement de double rotation, une massue au-dessus de son épaule vers le jongleur placé à gauche de la ligne. Ce dernier fait une longue passe avec simple rotation en direction du premier jongleur. Il

ou elle doit faire un petit pas sur sa gauche afin d'éviter de frapper le jongleur placé au milieu.

On appelle le lancer vers l'arrière au-dessus de l'épaule un «drop back» ; le jongleur du milieu laisse tomber sa massue vers l'arrière.

Il peut cesser de jongler entre deux passes et se tourner dans la direction opposée. Le jongleur qui faisait une longue passe lance maintenant sa massue à celui placé au centre, et le jongleur situé à l'autre extrémité modifie sa figure pour rendre son harmonie à celle-ci.

La Ligne

CHAPITRE 6
LE DIABOLO, LES BATONS DU DIABLE, LES BOITES A CIGARES ET LA ROTATION D'UNE ASSIETTE

Il y a beaucoup d'autres domaines de manipulation d'objets ayant trait au jonglage. Dans ce chapitre, nous nous proposons de vous en présenter.

Le diabolo

Le diabolo est de la famille du yo-yo et il effectue une rotation en l'air. Chinois à l'origine et traditionnellement faits de bambou, ces objets en forme de sablier sont à présent en caoutchouc. Il y a des centaines de figures à réaliser une fois que vous avez appris à faire tournoyer et à maîtriser le diabolo.

Mettez le diabolo par terre, à quelques centimètres de vous, du côté de la main dominante et placez la ficelle sous l'axe, au milieu. Tenez la baguette qui se trouve dans la main dominante vers le bas et levez la main faible de façon à tendre la ficelle.

Levez la main dominante et faites rouler le diabolo sur le sol puis faites-le décoller du sol. Si vous êtes gaucher, le diabolo tournera dans le sens des aiguilles d'une montre, ou dans l'autre sens si vous êtes droitier.

Il est crucial que le diabolo tourne dans le même sens. Pour y arriver, dirigez la baguette de la main dominante vers le bas, lorsque le diabolo atteint le bout de la ficelle, puis, d'un coup, tirez vigoureusement la baguette, de façon à ce que le diabolo tournoie en remontant sur la ficelle, à nouveau. La main dominante fait le travail de montée et de descente tandis que la main faible a essentiellement pour but d'amortir les chocs en montant et en descendant un peu mais sans faire tournoyer le diabolo.

Une fois que vous avez commencé, vous devez toujours avoir l'axe en angle droit par rapport à vous et une des parties creuses du diabolo dans votre direction. S'il commence à se balancer, vous devez vous aussi le suivre.

Il se peut que le diabolo penche vers l'arrière. Dans ce cas, tirez la main faible vers l'arrière et poussez la main dominante vers l'avant. Si le diabolo commence à pencher vers l'avant, poussez la main faible vers l'avant et tirez la main dominante vers l'arrière.

Position de départ pour le diabolo.

Levez la baguette de la main dominante pour soulever le diabolo et le faire tourner.

Si le diabolo commence à pencher, vous devez le remettre droit.

Le diabolo penche en arrière.

A DROITE
Lorsque vous pouvez faire tournoyer le diabolo, vous pouvez le rattraper en bougeant la baguette droite de façon à vous assurer que le diabolo retombe sur la ficelle.

Lancer et rattraper le diabolo

Avant de lancer le diabolo en l'air, il est important qu'il tourne le plus vite possible sinon il risque de tomber; de plus, ayez les pieds à plat, autrement, il va s'envoler du côté où vous penchez.

Pour lancer le diabolo, tirez sur les baguettes de façon à tendre la ficelle, et donnez un petit coup pour l'envoyer en l'air. Plus ce mouvement sera fort, plus le diabolo ira haut.

Pointez la baguette tenue dans la main dominante vers le ciel, verticalement et en direction du diabolo en l'air, et rattrapez-le près de cette baguette. Baissez la main dominante immédiatement après avoir rat-

trapé le diabolo pour amortir le choc et éviter que le diabolo ne rebondisse sur la ficelle. Recommencez à fouetter le diabolo pour qu'il continue à tourner.

Grimper le long de la ficelle

Pointer la main faible haut vers le ciel de façon à ce que le diabolo tournoie près de la main dominante. Faites une boucle sur le devant du diabolo, avec la main dominante, et tendez la ficelle. Si la ficelle est trop tendue, le diabolo va se coincer et si elle

Lorsque le diabolo atterrit, amortissez le choc en baissant la main droite.

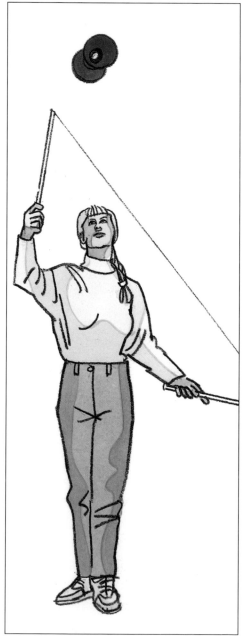

Lancer le diabolo.

n'est pas assez tendue il ne grimpera pas le long de la ficelle. Si la ficelle est tendue comme il le faut, le diabolo va grimper le long de la ficelle comme le montre la photographie de droite.

Lorsqu'il s'approche du haut de la ficelle, défaites la boucle en tournant la baguette de la main faible vers le bas et en direction du visage par-dessus le diabolo.

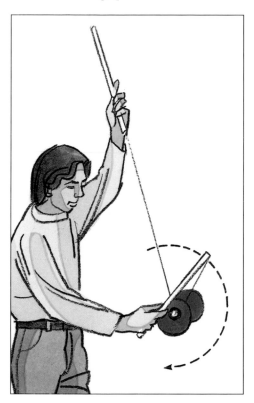

Entreprendre la montée.

Défaire la boucle du diabolo.

Avec la ficelle autour de l'axe, le diabolo peut grimper le long de la ficelle.

61

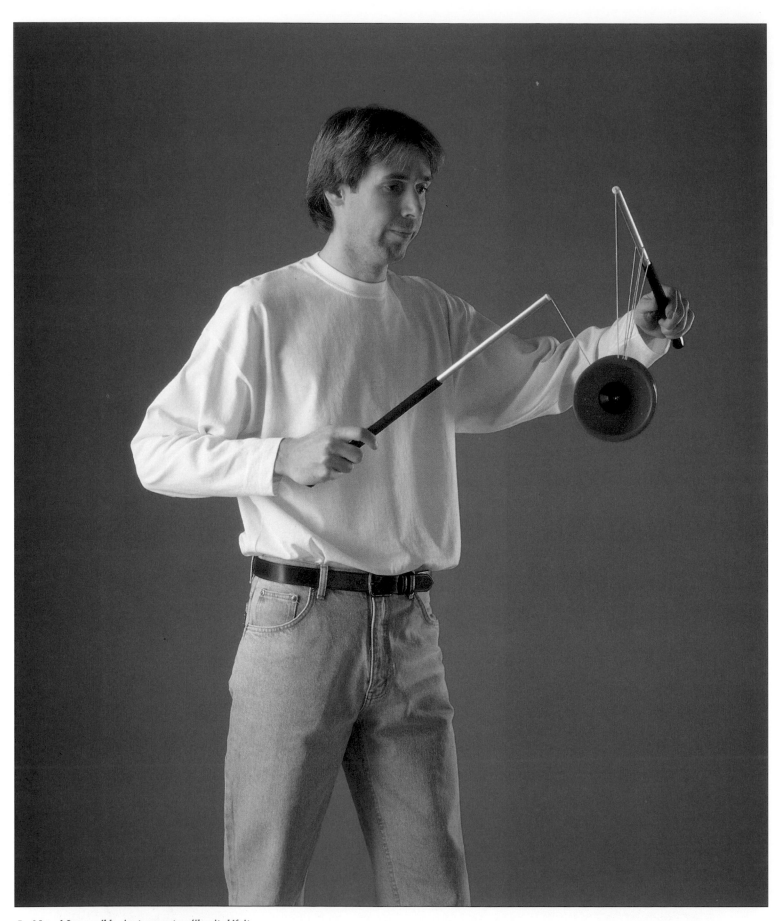

Le Nœud Impossible, juste avant qu'il soit défait.

Le Nœud Impossible

Ce mouvement complexe voit la création d'un nœud qui est ensuite rapidement défait. Il vaut mieux l'apprendre d'abord avant de réellement essayer, à l'aide d'un ami qui tient le diabolo comme lorsqu'il tournoie.

Pendant que le diabolo tournoie, prenez la baguette dominante et déplacez-la vers l'extérieur et autour de l'extrémité de la baguette faible, en gardant les bras décroisés et en tirant la ficelle de nouveau en travers de la baguette faible.

Portez la ficelle au-dessus de la baguette faible, puis sous le diabolo et entre la baguette faible et votre corps, puis en avant par-dessus la ficelle. A partir de là, portez, de nouveau, la ficelle sous le diabolo et vous aurez créé un nœud impossible.

Pour libérer le diabolo, pointez l'extrémité des baguettes en bas, de façon à ce que les boucles, formées par la ficelle, tombent et le diabolo se retrouvera sur la ficelle comme il l'était au début. Alternativement, pointez les baguettes vers le haut, écartez les bras pour défaire les boucles et lancez le diabolo en l'air.

Pour commencer le Nœud Impossible, la baguette dominante amène la ficelle en travers de la baguette faible.

La ficelle passe sous le diabolo puis en haut dans la baguette faible.

La baguette dominante passe par-dessus la baguette faible sous le diabolo.

Le diabolo pris dans un nœud.

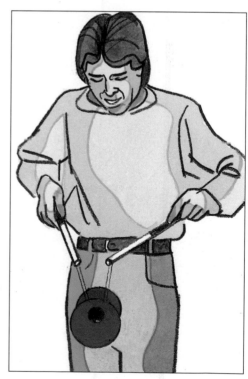

Libérez le diabolo en pointant les deux baguettes vers le bas.

63

Position du diabolo dans la figure du Berceau du Chat

Le Berceau du Chat

C'est un autre de ces tours dont il vaut mieux apprendre tous les mouvements avec un ami qui vous tient le diabolo comme s'il tournait. Suivez-en les étapes sur les schémas ci-dessous. Lorsque vous pensez les savoir, mettez le diabolo en position de départ et commencez réellement la figure.

Il y a deux façons de libérer le diabolo du berceau. L'une est de lancer le diabolo

doucement en l'air, puis de faire pivoter le bout des baguettes ensemble et de tirer brusquement pour les séparer, de façon à libérer la ficelle avant de rattraper le diabolo. Alternativement, pointez le bout des baguettes vers le bas, au sol, et les boucles du berceau vont tomber des baguettes, ramenant le diabolo dans sa position de départ.

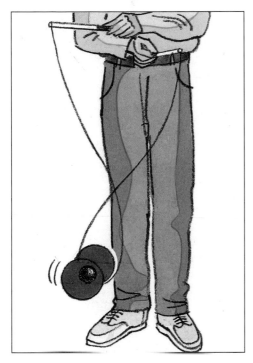

Changez les baguettes de côté. Passez-en une pour qu'elle soit tenue entre le pouce et l'index de l'autre main, puis prenez l'autre baguette dès que la main est libre.

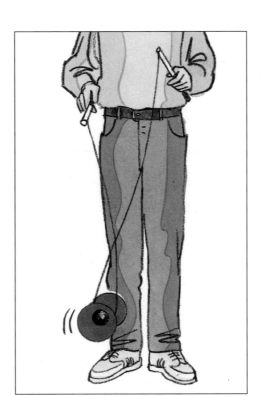

Prenez la baguette faible, déplacez-la vers l'extérieur et autour de l'extrémité de la baguette dominante de façon à ce que les ficelles se croisent.

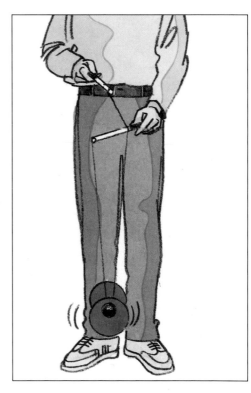

Portez la baguette dominante, à présent, vers l'extérieur et autour de l'autre baguette de façon à ce que la ficelle fasse un crochet par-dessus la baguette, en gardant les bras décroisés à tous moments.

Passez le bout de la baguette qui se trouve dans la main dominante à travers le triangle que forment la baguette et la ficelle attachée à cette dernière.

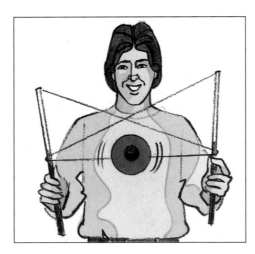

Pointez les deux baguettes en l'air pour que le diabolo tournoie sur la ficelle du bas.

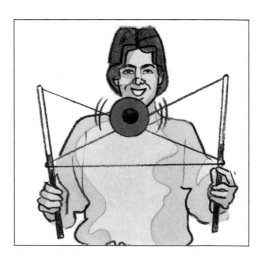

Poussez le diabolo en avant et vers le haut, en l'air, puis ramenez le berceau en-dessous pour le rattraper.

65

Le bâton du Diable

Le bâton du Diable défie les lois de la pesanteur puisqu'il tournoie grâce à une baguette de contrôle tenue dans chaque main.

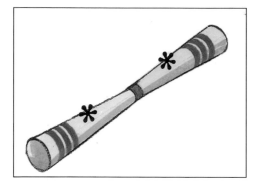

Vous devez frapper le bâton du Diable sur les points marqués d'un astérisque.

Les points de contact

Le bâton du Diable peut défier la pesanteur car il se resserre des deux extrémités vers le milieu de façon à ce que lorsque vous frappez sur l'un des points de contact à un quart de l'extrémité, il se soulève un peu. Vos baguettes doivent être parallèles à elles-mêmes et au sol sinon vous risquez de perdre le contrôle du bâton du Diable. Plutôt que de frapper le bâton du Diable d'un côté à l'autre, vous devriez plus le lancer et le rattraper.

Faire démarrer le bâton du Diable

Mettez-vous sur un genou en formant un angle de 45º avec le bâton du Diable sur le côté et la baguette sur le point de contact

La position de départ.

Cognez le bâton du Diable d'un côté à l'autre et essayez de vous relever tout en le contrôlant avec les baguettes.

du haut. Utilisez la baguette pour lancer le bâton du Diable jusqu'à ce qu'il se balance par-dessus et tombe sur l'autre baguette à un angle d'à peu près 45º. Répétez cela d'un côté à l'autre sans que le bout du bâton ne quitte le sol. Petit à petit, voyez si vous pouvez soulever un peu le bâton du sol en le poussant également vers le haut.

Vous pouvez ensuite le porter vers le haut jusqu'à ce que vous soyez debout pour le contrôler.

Commencer en l'air

Mettez-vous debout pour essayer le bâton du Diable en l'air. Tenir ce dernier en équilibre sur les baguettes aux deux points de contact. Enlevez une des baguettes et, lorsque le bâton commence à tomber, poussez-le avec l'autre baguette pour le lancer à la verticale, à un angle de 45º, puis rattrapez-le et relancez-le avec l'autre baguette. Continuez à le lancer d'un côté à l'autre en vous concentrant sur les points de contact à toucher.

L'hélice

C'est une figure difficile à apprendre mais l'une des meilleures. Le bâton du Diable semble tourner continuellement autour d'une baguette semblable à une hélice d'avion.

Lancez le bâton avec la baguette faible et, au lieu de le cogner en arrière, faites-le tourner avec la main dominante, dans la même direction, en faisant faire un cercle au bâton du Diable avec la baguette, et en le poussant vers le haut, sous le milieu, chaque fois qu'il revient.

Commencer en l'air.

La main faible soulève le bâton du Diable juste au-dessous de son milieu.

Frapper doucement le bâton juste au-dessous du milieu, à chaque tour, pour qu'il continue à tourner autour de la baguette.

La rotation d'une assiette

Les assiettes en plastique destinées à tournoyer se trouvent dans les magasins de jonglage. Ces assiettes possèdent un rebord qui rend la manipulation plus facile. Cependant, elles ne sont pas fondamentalement aussi satisfaisantes que celles en porcelaine mais elles tournoient plus facilement et il est plus difficile de les casser.

Pour commencer, tenez l'intérieur du rebord de l'assiette en équilibre avec le bout de la baguette qui doit être, elle, abso-lument verticale. Tenez la baguette par le bout. Faites tourner la baguette doucement, avec le poignet, de façon à ce que le haut de la baguette commence à former de petits cercles d'environ quinze centimètres de diamètre.

Augmentez la vitesse de rotation petit à petit, doucement, et l'assiette va commencer à s'élever horizontalement. Lorsqu'elle est horizontale et qu'elle tournoie bien, arrêtez tout de suite votre mouvement de poignet et le centre de l'assiette va sauter au bout de la baguette.

L'assiette va continuer à tournoyer pendant un bon moment et, pendant ce temps, vous pouvez réaliser des figures. Ces der-

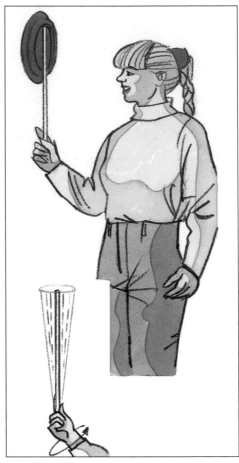

La position de départ.

nières sont réalisées avec la baguette à la verticale et sans rotation.

Lancez doucement l'assiette vers le haut avec la baguette et rattrapez-la.

Essayez de tenir la baguette et l'assiette en équilibre sur votre doigt. Voir le chapitre 4 avec ses conseils à propos de la massue et comment faire tenir des objets en équilibre.

Essayez de tenir la baguette et l'assiette en équilibre sur votre menton. Soyez prêt à bouger les pieds en même temps que la tête de façon à garder l'équilibre. Voyez combien vous bougez la main en réalisant cette figure. Votre tête va devoir bouger autant.

Si vous levez le bout de l'index, à côté de la baguette, pour toucher l'assiette et qu'au même moment vous enlevez la baguette en la tirant, l'assiette va tournoyer sur votre doigt. Vous pouvez alors mettre le bras autour et pousser l'assiette en-dessous. Il est beaucoup plus difficile d'augmenter la rotation sur un doigt. Lorsque la vitesse diminue, utilisez, de nouveau, la baguette.

Gardez la baguette à la verticale pour vous assurer que l'assiette tournoie librement.

Lancez l'assiette.

Baguette en équilibre sur le doigt.

Baguette en équilibre sur le menton.

Remplacez la baguette par l'index et enroulez le bras autour de l'assiette.

Les boîtes à cigares

De vraies boîtes à cigares ne sont que rarement utilisées pour cette figure. Les fournisseurs d'équipement de jonglage vendent des boîtes robustes et faciles à attraper, ce qui est idéal pour les débutants.

Boîtes en position de départ.

Enlever la boîte se trouvant à une extrémité.

Se baisser pour rattraper la boîte du milieu.

La main droite a attrapé la boîte du milieu et la porte complètement à l'extrémité.

Tenez deux boîtes et placez la troisième au milieu. L'idée est de déplacer les boîtes sans laisser celle ou celles qui n'est ou ne sont pas tenue(s) tomber par terre. En réalité, les boîtes que vous tenez vous servent de mains pour rattraper celles que vous lâchez.

Tenez les boîtes à hauteur de la taille puis levez les mains et tirez une boîte de façon à la séparer des deux autres.

Baissez les bras, pliez les genoux et joignez les trois boîtes, de nouveau, en remontant.

Essayez de faire le même mouvement mais, cette fois-ci, séparez les deux boîtes se trouvant aux extrémités de la boîte du milieu et rattrapez-la de nouveau.

Le tour final.

Tour Final

Levez les mains et enlevez une boîte, puis tournez la main à l'envers de façon à ce que la boîte soit tournée à 180° et joigne les deux autres vers le haut. Pour retourner à la position de départ, soit vous inversez le mouvement, soit vous lâchez la boîte de l'extrémité avec la main; déplacez la main au-dessus de la boîte et attrapez-la de nouveau.

Essayez de tourner les deux boîtes du bout en même temps.

Enlevez les boîtes

Cette figure consiste à enlever l'une des boîtes et à lui faire changer de position en la faisant dériver le long de la figure pour qu'elle se positionne à l'extrémité.

Essayez presque le même numéro que le Tour Final mais, au lieu de faire un mouvement circulaire vers le bas et de passer de la boîte du bout avec la boîte du milieu, tirez la boîte du milieu vers le haut et passez autour de la boîte du bout.

Enlever la boîte de l'extrémité

Dans cette figure, les trois boîtes sont lâchées ensemble et l'une des mains croise l'autre pour déplacer une des boîtes à l'opposé, au bout. La boîte du milieu devient la boîte du bout, de l'autre côté.

Levez les boîtes, lâchez celle du bout pour attraper celle du milieu.

Faites immédiatement un mouvement circulaire vers le bas et autour de la boîte du bout comme indiqué ci-dessus.

Piégez la boîte que vous aviez lâchée au départ, au milieu.

Levez les boîtes vers le haut et lâchez-les toutes les trois.

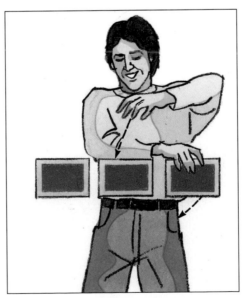

Attrapez l'une des boîtes du bout avec l'autre main pour la prendre à celle qui la tenait.

Faites un mouvement circulaire vers le bas et vers le côté opposé pour que la boîte se place à l'extrémité, de l'autre côté.

CHAPITRE 7
SE PRODUIRE EN SPECTACLE

Jonglage avec chapeaux par la troupe allemande « Las Piranhas ».

On peut concevoir le jonglage comme un sport agréable, l'accent étant mis sur l'élaboration et la mise au point de mouvements nouveaux et complexes, ou bien comme un outil à utiliser lors d'une représentation.

La force du jonglage de spectacle repose sur plusieurs points : il est essentiellement visuel, il possède un rythme naturel propre, et le risque constant de voir la pesanteur gagner la main dressée vers le haut ainsi que le jongleur qui lâche son objet engendre émotions fortes et suspense. Ajoutons à cela que peu de personnes savent véritablement jongler et que, parmi elles, rares sont celles qui sont capables de réaliser plusieurs figures différentes.

Cependant, si vous vous montrez en spectacle sur une scène ou dans une galerie marchande, vous trouverez probablement que jongler seul n'intéresse pas les gens plus de quelques secondes.

Il faut que vous accordiez une importance particulière à la création d'un numéro divertissant utilisant le jonglage. Malheureusement, le fait que quelque chose soit amusant à faire ne signifie pas que ce soit amusant à regarder ; d'autre part, le fait de maîtriser le jonglage avec balles nécessite qu'on y consacre des années de pratique et garantit pas non plus que ce soit divertissant.

Lorsque l'on jongle face à un public, on se retrouve, en général, dans une des deux catégories suivantes : le numéro d'adresse et le numéro comique. Vous trouverez plus bas quelques conseils à suivre pour chacune. Tâchez aussi d'aller voir ce que font les autres artistes, concernant aussi bien le jonglage ou des domaines qui y sont liés tels que la gymnastique rythmique, la danse ou les sketches.

Les numéros d'adresse
Les numéros d'adresse sont réussis quand ils sont conçus pour être réalisés accompagnés d'un morceau de musique soigneusement sélectionné. Puisque vous allez écouter cette musique de nombreuses fois, il est important que vous l'appréciiez. Cela implique aussi que vous vous sentiez à l'aise quand vous travaillez sur cette musique ; cela vous aidera dans l'élaboration de votre personnage. Il y a un autre point à prendre en considération lorsqu'on choisit un morceau de musique, c'est de savoir si celui-ci plaira à

votre public et s'il sera approprié au lieu sur lequel vous souhaitez vous produire. Si vous ne savez pas grand-chose de la musique, trouvez un expert qui pourrait vous aider et vous gagnerez beaucoup de temps et d'efforts.

De nombreux jongleurs travaillent sur une musique purement instrumentale ou qui contient très peu de paroles, les mots pouvant se révéler distrayants. Préférez une musique avec un début puissant et une fin distincte plutôt qu'un fondu sonore.

Ajoutez-y une ou deux conclusion(s) trompeuse(s), et vous des pauses naturelles ainsi que des moments d'applaudissements.

Comme dans toute représentation, il vous faut un début qui attire l'attention, un milieu puissant et une fin spectaculaire. Réfléchissez à votre entrée sur scène et choisissez, pour commencer, une figure sensationnelle que vous devez réussir à tous les coups. La même règle s'applique pour la fin de !a figure.

Dressez la liste des mouvements que vous êtes sûr de pouvoir faire, et élaborez des façons d'en relier deux ou trois avec douceur. Essayez d'éviter de revenir à la Cascade entre deux figures : bien que cela soit le lien le plus facile, cela devient répétitif. Travaillez ces séquences tout en écoutant la musique, et voyez ce que cela donne

quand vous variez la vitesse à laquelle vous jonglez et l'ampleur de la figure. Entraînez-vous sur des mouvements qui surprendront le public, comme, par exemple, une balle qui, apparemment tombée accidentellement rebondit et retourne directement dans la figure.

Essayez également de bouger en même temps que vous jonglez. Si on les regarde de côté, certains mouvements donnent quelque chose de très différent par rapport à ce qu'ils seraient vus de face. Jonglez aussi tout en étant assis ou agenouillé, ou encore debout. Afin d'améliorer l'envergure de votre mouvement, vous pouvez prendre des cours de danse ou de gymnastique.

Pensez également aux accessoires avec lesquels vous jonglez : par exemple, allez-vous utiliser des massues épaisses ou fines pour obtenir l'effet que vous désirez. D'autre part, il vous faudra choisir le costume que vous porterez ainsi que le maquillage que vous adopterez. Il est possible que vous souhaitiez trouver un expert en la matière dans la troupe de théâtre de votre ville.

N'oubliez pas le type de décor dans lequel vous allez travailler. Gardez-vous de vous retrouver à jongler avec des balles blanches alors que vous portez une chemise blanche et que vous êtes placé sur un fond blanc !

Plus vous aurez l'air gauche, plus vous surprendrez votre public avec vos talents.

Servez-vous de miroirs, de caméras ; demandez à des amis de voir à quoi ressemble le numéro que vous créez et de vous dire comment il est possible de l'améliorer. Peut-être, rencontrerez-vous d'autres jongleurs que la création de numéros intéresse ; vous pourrez ainsi vous aider les uns les autres à l'élaboration de ces figures. Aider quelqu'un d'autre constitue presque toujours un bon moyen de s'aider soi-même.

Un atelier d'entraînement au diabolo, lors d'une convention sur le jonglage, à Leeds.

Les numéros comiques

Assurément, le public adore le genre comique, et il existe des figures classiques qui exploitent ce potentiel pour créer une tension comique.

Parmi de nombreux exemples, on citera le jonglage avec une pomme, un oignon et un œuf, avec l'intention de manger la pomme tout en jonglant. Le public, intrigué, veut savoir si vous êtes capable de manger tout en jonglant et si vous pouvez choisir l'objet que vous allez manger. D'autre part, ce sera très difficile pour ce public d'attendre de voir ce qui se passe si vous mordez l'oignon ou l'œuf - et il compatira à l'expression horrifiée qu'il verra sur votre visage lorsque vous commettrez cette erreur !

Il existe de nombreuses figures, telle que celle décrite précédemment, qui sont considérées comme étant du domaine du public et que, donc, tout le monde peut utiliser. Le risque avec ces figures c'est que les

différents publics les aient trop vues : d'où l'importance de l'innovation. C'est pourquoi vous devez essayer d'arriver avec vos propres idées. Si vous voyez quelqu'un réaliser une figure magnifique et originale, résistez à la tentation de la lui voler, tout comme vous souhaiteriez qu'on ne vous vole pas votre matériau bien à vous. Utilisez donc l'exemple qui s'offre à vous pour aiguillonner votre propre imagination, et voyez si vous pouvez arriver à quelque chose de plus extravagant ou de plus farfelu.

Le public aime les surprises et cela vaut toujours la peine de trouver des objets différents et invraisemblables plutôt que d'utiliser des accessoires destinés au jonglage. Un artiste jonglant avec un porte-documents, un parapluie et un téléphone mobile, voilà qui risque d'attirer l'attention - en particulier, si le téléphone sonne en plein milieu du numéro !

Le risque aussi plaît au public. Jongler avec des bouteilles en verre implique le risque qu'elles se brisent, risque accru lorsque le jongleur se rend compte qu'il

« Dégustation de la pomme » sans manger l'oignon ou l'œuf.

Épreuve d'endurance avec cinq balles, lors d'une convention sur le jonglage en Allemagne.

doit, pour finir, attraper deux bouteilles d'une seul main - mais, peut-être, trouvera-t-il un moyen de s'en sortir ?

Si vous utilisez des accessoires classiques, peuvent-ils donner l'impression d'avoir une personnalité propre, ou pouvez-vous provoquer des effets (tels que dans le Yo-Yo ou le Pingouin) ? Essayez d'élaborer des mouvements qui évoquent des images d'objets ou d'actions, ou qui ont

l'air tout bonnement sans queue ni tête !

Lorsque vous commencez à réfléchir au matériel qu'il est possible de fabriquer, pensez aussi à votre personnage. Celui dans lequel vous vous sentez à l'aise quand vous vous mettez en scène est presque toujours fondé sur votre propre caractère et vos propres opinions. Le public sait tout de suite si vous vous sentez mal à l'aise dans le personnage que vous peignez. Travaillez

votre personnage tout comme vous travaillez votre jonglage. Pensez aux vêtements, à la musique, au mouvement et à sa voix, et accentuez-les de plus en plus jusqu'à ce que vous deveniez ce personnage sur scène.

Envisagez de prendre des cours de théâtre ou de clown afin d'améliorer vos techniques de représentation.

« Le Grand et le Petit » (« The Long and the Short of it ») : l'auteur, Charlie Holland, et son partenaire Olly Crick, prêts pour leur numéro au restaurant « Breton Brother's ».

CHAPITRE 8
PARMI LES GRANDS

L'histoire du jonglage remonte au moins à 4 000 ans. Les premières peintures représentant des jongleurs furent découvertes dans les tombes de l'ancienne Egypte ; elles furent réalisées vers 2000 avant J.-C. Il existe de nombreuses représentations de jongleurs dans l'art grec, les premières remontant à environ 400 avant J.-C. Une magnifique statue en argile fut découverte à Thèbes. Elle date de 200 avant J.-C. et montre un jongleur qui tient une balle en équilibre.

Une illustration du milieu du XVIIIe siècle met en scène un jongleur et un funambule français, Mathieu Dupuis, manipulant trois pommes et les rattrapant avec trois fourchettes, une dans chaque main et la troisième dans la bouche. Depuis, disons le début du XIXe siècle, le jonglage est devenu un élément essentiel parmi les nouvelles formes de spectacles qui émergent alors : le cirque, le music-hall.

Carte postale montrant l'artiste Miss Coralie Blythe avec son diabolo.

Carte postale populaire du début du années 1900.

Les numéros de jonglage en provenance de l'Orient ont gagné leur popularité grâce à l'utilisation d'objets tels que les bâtons du Diable et les bâtons dans la bouche, sur lesquels on fait tenir des balles en équilibre. Parmi les instruments de jonglage introduits par les Orientaux, on compte le diabolo qui vient de la Chine et qui, à l'origine, était fabriqué avec du bambou.

Au début des années 1900, le diabolo fit fureur ; cet engouement coïncida avec un autre engouement : les cartes postales. Des centaines de cartes différentes, telles que celles montrées ici, furent produites avec, comme personnages, des enfants ainsi que des acteurs et actrices célèbres de l'époque.

Enrico Rastelli, souvent considéré comme le plus grand jongleur de tous les temps, fut inspiré par le travail d'une jongleuse japonaise, Takashima. Né en 1897 dans une famille de jongleurs, Rastelli battit tous les records en termes de nombre d'objets utilisés. Il pouvait jongler avec dix petites balles ou huit assiettes. Mais il fut surtout célèbre pour l'adresse étonnante dont il faisait preuve quand il manipulait et faisait tenir en équilibre des balles en cuir. Il mourut jeune et de façon tragique, en 1931 : après s'être coupé les gencives avec son bâton à la bouche, celles-ci s'étaient infectées. Il était si populaire que des milliers de personnes assistèrent à ses funérailles.

Paul Cinquevalli, autre grand jongleur du début du XXᵉ siècle, doit sa célébrité à son numéro intitulé « Le Billard humain », dans lequel il jonglait avec des balles qu'il faisait rouler autour de son corps et qu'il récupérait dans des poches spéciales de sa veste de feutre verte. Pour le finale de son numéro, il rattrapait sur sa nuque un boulet de canon de 48 livres (soit environ 21,7 kg).

Les figures originales de Cinquevalli ont fini par inspirer un nouveau genre de jonglage, les « Jongleurs Gentlemen », qui travaillaient avec des accessoires de la vie de tous les jours tels que des boules de billard, des chapeaux, des cigares, des cannes, de la vaisselle et des chaises !

On constate encore aujourd'hui un intérêt pour le contrôle exercé sur des objets de la vie quotidienne ; citons Steve Rawlings qui fait tenir en équilibre des bouteilles de vin et jongle avec des meubles.

On adopta d'autres thèmes, comme celui du restaurant installé sur scène, une troupe de jongleurs jouant les rôles de clients et de serveurs. Le jongleur américain Bobby May a réalisé un excellent film dans lequel il emprunte un cigare à un bonhomme de neige pour, ensuite, jongler avec,

Paul Cinquevalli et son boulet de canon.

incorporant son chapeau et ses gants. Des enfants le bombardent de boules de neige qu'il rattrape sous son chapeau, après quoi, il se met à jongler avec ces stupéfiantes boules de neige en caoutchouc, en les faisant rebondir !

W. C. Fields, qui allait devenir l'un des plus grands comédiens comiques du cinéma, fit d'abord une carrière de jongleur avec son personnage du « *Jongleur vagabond et exentrique* ». Il exécutait certaines de ses figures avec des chapeaux et des cigares, et manipulait des boîtes à cigares (cf. *Magician's Handbook*, publié en 1904). La famille Kremo, originaire de la Suisse, fait, quant à elle, partie de l'une des dynasties de jongleurs qui existent encore à l'heure actuelle. Kris Kremo jongle avec des balles,

des chapeaux et des boîtes à cigares, et il est capable d'inclure une triple pirouette dans ce dernier numéro.

Plusieurs ouvrages furent consacrés aux techniques du jonglage au début de ce siècle ; on peut citer *L'Art du Jonglage moderne*, écrit par Anglo, et *Jongler ou Comment devenir Jongleur*, de Rupert Ingalese. Ce dernier livre comprenait un catalogue de vente par correspondance dans lequel on pouvait apprendre à « Imiter les Jongleurs avec parapluies », à « Jongler avec des massues » et à connaître le « Grand Numéro comique du Boulet de Canon », le tout pour 55 shillings, ce qui était cher à l'époque. Les massues sont décrites de la façon suivante : « Les meilleures au monde. Ces massues sont recouvertes d'une toile d'excellente

Steve Rawlings, meilleur jongleur comique, ici avec des torches enflammées.

qualité, ont des manches en bois de feuillu et sont pratiquement incassables. Elles sont joliment décorées, prêtes à être utilisées, et sont très légères, leur poids n'excédant pas 16 onces (soit environ 450 g). Leur longueur est de 21 pouces (environ 53 cm) ; d'autre part, elles sont identiques à celles utilisées par tous les principaux jongleurs avec massues ».

Parmi les autres types de massues, certaines ont des chevilles en bois ; elles sont munies d'une sorte de corbeille faite avec des bandelettes de bambou, donnant ainsi sa forme arrondie à la massue. Les massues en fibres de verre ont été introduites par Steve Reynolds, puis est apparue la massue

en plastique moulé que l'on connaît bien. Le jonglage avec massues et l'échange de massues a connu une évolution au tournant de ce siècle, et beaucoup de figures réalisées actuellement remontent à cette époque récente.

Concernant les grands numéros de jonglage à plusieurs, on se tourne généralement du côté de la Russie, où les écoles de cirque ont produit des jongleurs tels que Ignatov, capable de manier onze anneaux.

La danse a été introduite dans des troupes de plusieurs jongleurs, lesquels sont conscients du potentiel que représente l'intégration des mouvements corporels dans

ceux des accessoires. L'utilisation par Francis Bruun du flamenco a donné à son numéro une grâce, une élégance et une précision sensationnelles. « Airjazz » fait partie des troupes les plus populaires des années 1980 ; elle rassemble Jon Held, Peter Davidson et Kezia Tenenbaum. Leur utilisation raffinée de la musique et de la danse contemporaine ainsi que leurs techniques très recherchées ont donné à leurs numéros un rythme exceptionnel. Le « Gandini Juggling Project », groupe plus récent, est allé plus loin, mêlant danse contemporaine et jonglage, au point que c'est le jonglage qui est incorporé dans la danse plutôt que le contraire.

Michael Moschen est l'un des plus éminents jongleurs d'aujourd'hui. Il fait rouler, avec fluidité, des balles de cristal dans ses mains et autour de son corps, inspirant ainsi tout un mouvement, le «Contact Juggling».

Il a également créé un numéro où il fait rebondir ses accessoires : placé à l'intérieur d'un triangle, il utilise, à des moments différents, le son des objets lorsqu'ils rebondissent afin de créer de la musique.

La création de cette musique propre au jonglage est la caractéristique principale des Frères volants Karamazov, troupe née dans les années 1970 en Californie et qui, depuis, ne cesse de faire des tournées, souvent avec les «Les Morts Reconnaissants» («The Grateful Dead»). Ils ont mis au point les tambours dorsaux - des tambours électroniques sur coussins qu'ils portent sur leur dos et sur lesquels ils tapent avec leurs massues pendant qu'ils jonglent. Leur show comprend aussi un autre type de bruit - dans la mesure où ils se lancent des tronçonneuses : figure à ne pas imiter !

Il n'y a jamais eu autant de jongleurs qu'aujourd'hui. On invente de nouvelles figures et on en redécouvre. J'espère que les 4 000 prochaines années de jonglage se révéleront aussi intéressantes que par le passé.

Le «Gandini Juggling Project», mêlant danse contemporaine et jonglage.

OU ALLER POUR DE PLUS AMPLES INFORMATIONS SUR LE JONGLAGE

Il y a trois magazines principaux spécialisés dans le jonglage : *Juggler's World,* publié aux Etats-Unis, *Kascade,* publié en Allemagne et ayant une édition anglaise également et *The Catch,* publié en Grande-Bretagne. Ces magazines comportent des articles sur les artistes, les critiques de spectacles, les publicités pour des magasins et des cours, ainsi que des conseils sur l'apprentissage de figures et, plus important encore, des détails sur les groupes de jonglage et les salons !

Il y a maintenant des réunions de groupes de jonglage régulièrement dans la plupart des villes et nombre de petites villes. Comme vous vous en doutiez, les jongleurs se rassemblent pour échanger des figures et jongler ensemble. Vous pouvez être très facilement intimidé en assistant à une réunion pour la première fois car les techniques exposées sont impressionnantes. Les experts du jonglage acceptent normalement très volontiers d'aider les débutants. Rappelez-vous qu'ils ont été débutants eux-mêmes.

En plus de ces petits rassemblements, il y a régulièrement des salons du jonglage. Oubliez ces images de réunions ennuyeuses dans les salles de conférences. L'expression «salon du jonglage» est un nom mal approprié pour «grand rassemblement de jongleurs», avec la présence de tas de jongleurs et beaucoup d'espace pour jongler et permettre aux détaillants d'exposer leurs produits les plus récents. Il y a des ateliers pour toutes sortes de techniques et des spectacles présentant toutes sortes de jongleurs.

Les deux grands salons sont le rassemblement annuel de l'Association Internationale des Jongleurs (International Jugglers'Association) aux Etats-Unis qui attire à peu près mille jongleurs, et le Salon Européen du Jonglage, une fois par an, qui lui, attire environ deux mille personnes. A côté de ça, il y a beaucoup de petits salons qui permettent souvent de connaître d'autres jongleurs et d'éviter les bousculades et l'agitation des grands rassemblements.

Les meilleures sources d'informations sur les rassemblements et événements à venir se trouvent dans les magazines suivants dont voici l'adresse :

Jugglers'World
International Jugglers'Association
P.O. Box 218
Montague
MA 01351
ETATS-UNIS

Kascade
Annastrasse 7
D-65197 Wiesbaden
ALLEMAGNE

The Catch
Moorledge Farm Cottage
Knowle Hill
Chew Magna
Bristol BS16 8TL
ANGLETERRE